AF546246

Bild 1: Koi mit Hautblutungen durch bakterielle Infektion aufgrund schlechter Konditionierung

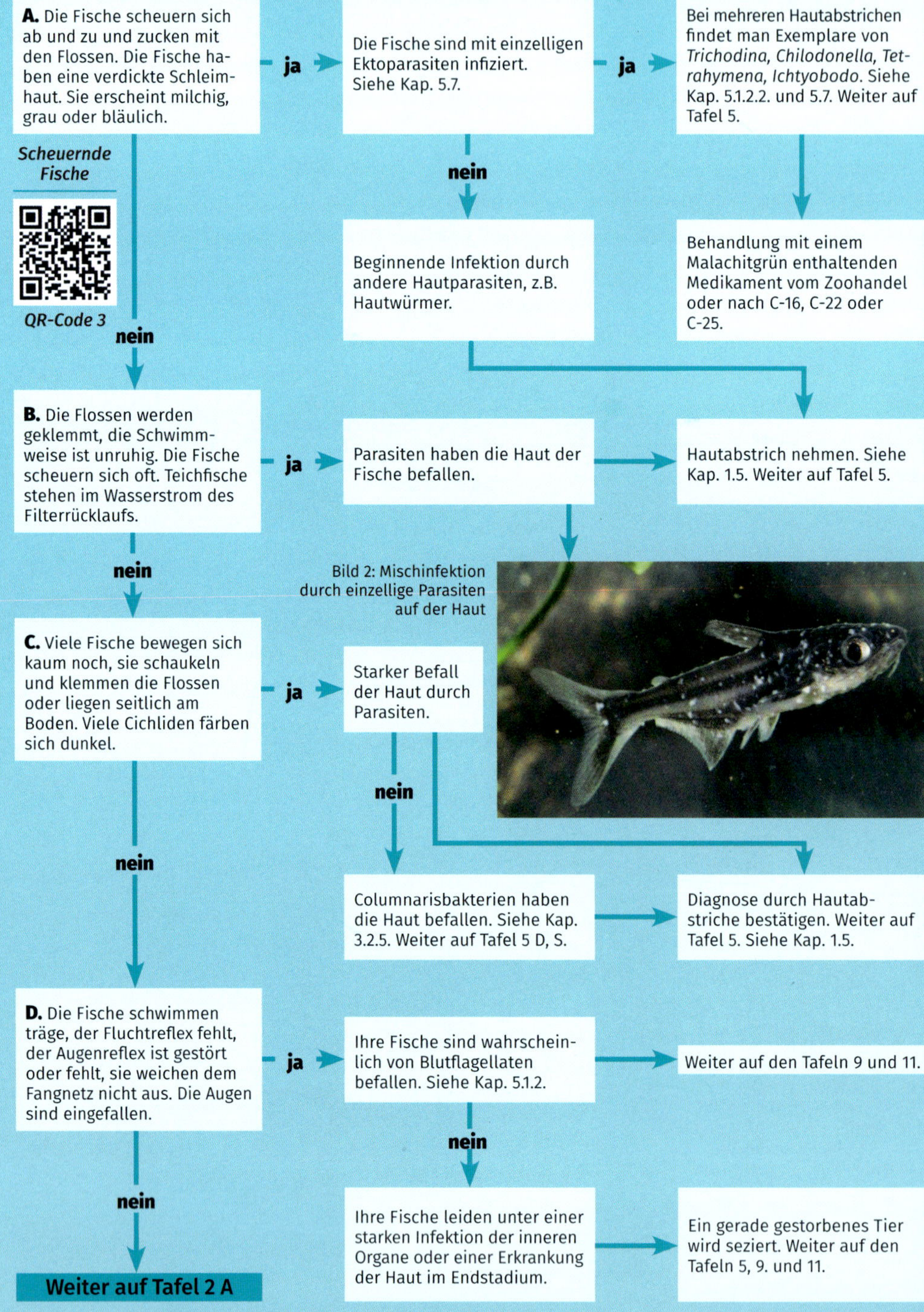

Bild 2: Mischinfektion durch einzellige Parasiten auf der Haut

Dähne Verlag

Dieter Untergasser

Krankheiten der Zierfische

Diagnosetafeln zum Buch

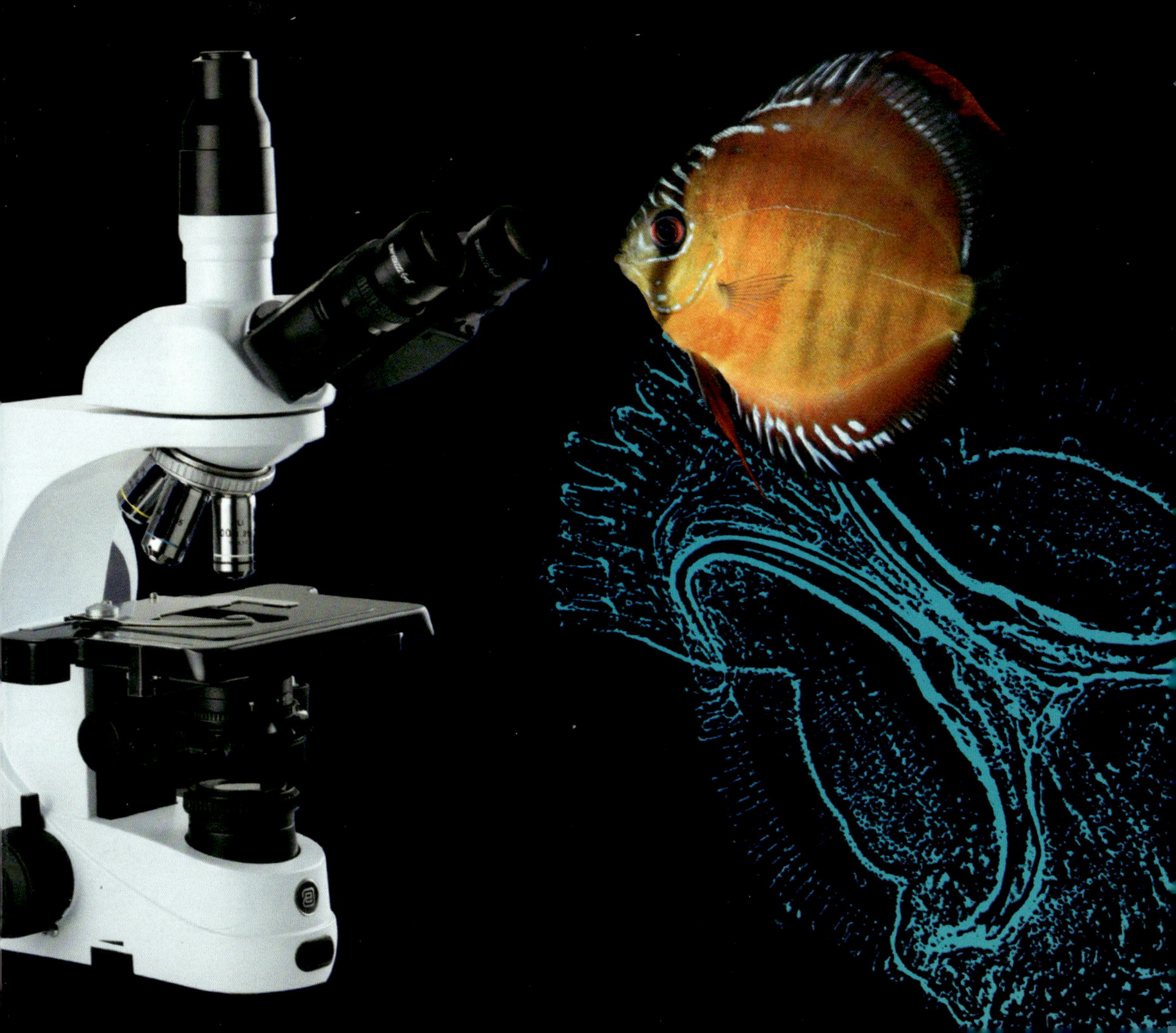

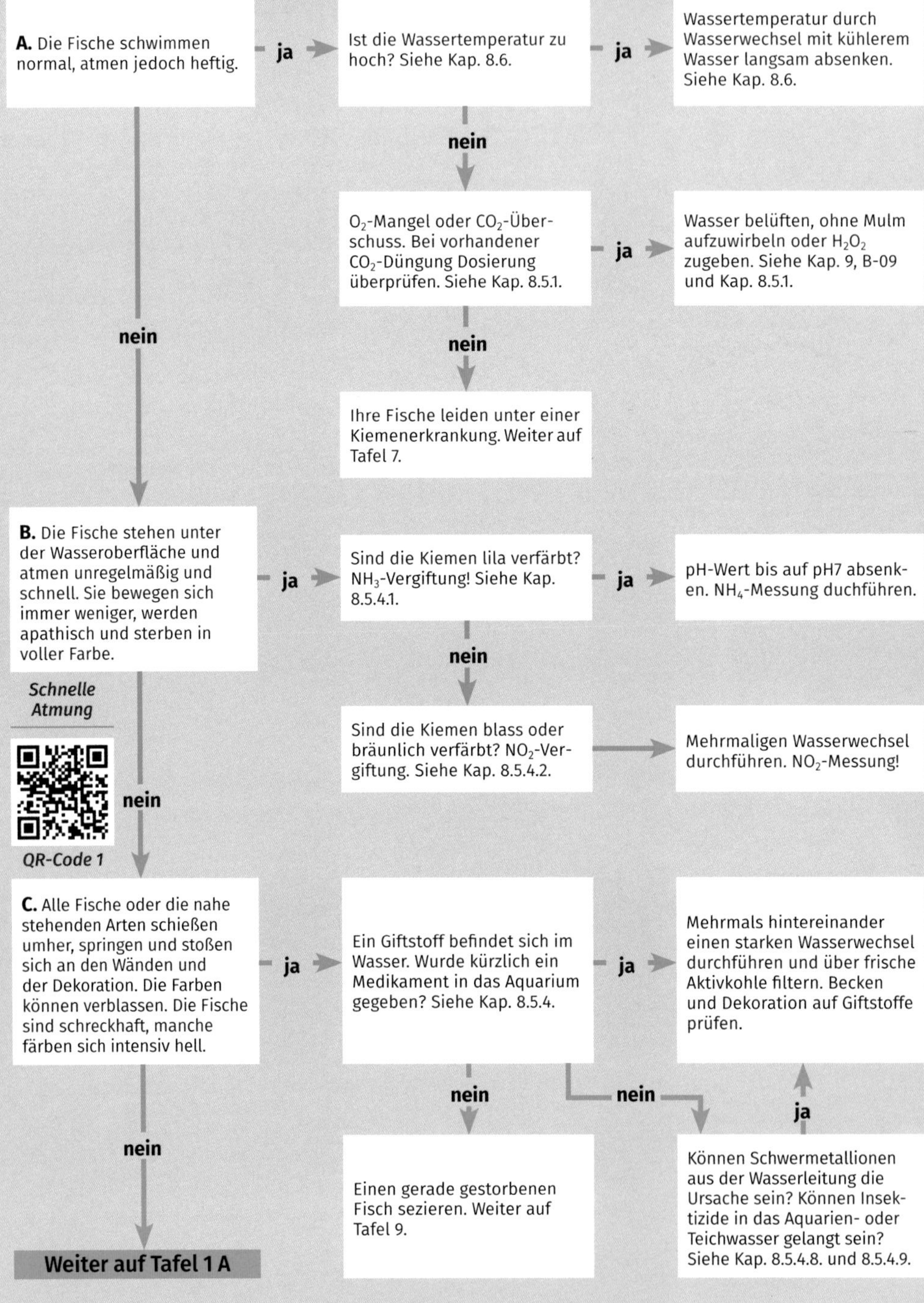
A. Die Fische schwimmen normal, atmen jedoch heftig.
ja
Ist die Wassertemperatur zu hoch? Siehe Kap. 8.6.
ja
Wassertemperatur durch Wasserwechsel mit kühlerem Wasser langsam absenken. Siehe Kap. 8.6.
nein
O_2-Mangel oder CO_2-Überschuss. Bei vorhandener CO_2-Düngung Dosierung überprüfen. Siehe Kap. 8.5.1.
ja
Wasser belüften, ohne Mulm aufzuwirbeln oder H_2O_2 zugeben. Siehe Kap. 9, B-09 und Kap. 8.5.1.
nein
Ihre Fische leiden unter einer Kiemenerkrankung. Weiter auf Tafel 7.
nein
B. Die Fische stehen unter der Wasseroberfläche und atmen unregelmäßig und schnell. Sie bewegen sich immer weniger, werden apathisch und sterben in voller Farbe.
ja
Sind die Kiemen lila verfärbt? NH_3-Vergiftung! Siehe Kap. 8.5.4.1.
ja
pH-Wert bis auf pH7 absenken. NH_4-Messung duchführen.
nein
Sind die Kiemen blass oder bräunlich verfärbt? NO_2-Vergiftung. Siehe Kap. 8.5.4.2.
Mehrmaligen Wasserwechsel durchführen. NO_2-Messung!
Schnelle Atmung
QR-Code 1
nein
C. Alle Fische oder die nahe stehenden Arten schießen umher, springen und stoßen sich an den Wänden und der Dekoration. Die Farben können verblassen. Die Fische sind schreckhaft, manche färben sich intensiv hell.
ja
Ein Giftstoff befindet sich im Wasser. Wurde kürzlich ein Medikament in das Aquarium gegeben? Siehe Kap. 8.5.4.
ja
Mehrmals hintereinander einen starken Wasserwechsel durchführen und über frische Aktivkohle filtern. Becken und Dekoration auf Giftstoffe prüfen.
nein
nein
ja
Einen gerade gestorbenen Fisch sezieren. Weiter auf Tafel 9.
Können Schwermetallionen aus der Wasserleitung die Ursache sein? Können Insektizide in das Aquarien- oder Teichwasser gelangt sein? Siehe Kap. 8.5.4.8. und 8.5.4.9.
nein
Weiter auf Tafel 1 A

Fortsetzung von Tafel 2, Spalte 1

E. Die Fische drehen sich und torkeln.

ja → Drehkrankheit oder völliger Erschöpfungszustand bei starker anderer Erkrankung. → Sektion eines gerade gestorbenen Fisches. Prüfen der Organe auf Zysten. Weiter auf den Tafeln 11 und 20.

nein ↓

F. Einige Fische taumeln.

ja → Die Tiere leiden möglicherweise unter dem Pilz *Ichthyophonus*. Siehe Kap. 4.2.1. oder Fischtuberkulose, siehe Kap. 3.2.6. → Sektion und Prüfen der Organe auf Zysten. Weiter auf den Tafeln 11 und 20.

nein ↓

G. Einer oder mehrere Fische können nicht mehr bewegungslos im Wasser stehen. Diskusfische liegen flach am Boden oder hängen mit dem Kopf nach unten (Kopfsteher).

ja → Die Schwimmblase ist erkrankt. Die Ursache kann eine Unterkühlung sein. Diskusfische leiden unter einer Infektion des Ovals der Schwimmblase. Siehe Kap. 2.3.9. → Erkrankte Fische in Quarantäne setzen und bei um 2 bis 4 °C erhöhter Temperatur zwei Tage beobachten (siehe Kap. 9, A-08). Bessert sich die Erkrankung nicht, wird nach C-42 bei normaler Temperatur behandelt.

Kopfsteher

QR-Code 4

Bild 3: Kopfstehender Diskus durch Schwimmblasenentzündung

nein ↓

Weiter auf Tafel 3

A. Treten bei jungen Fischen Verkrüppelungen oder Missbildungen auf?

- **ja** → Es kann sich um einen erblichen Schaden handeln.
  - **ja** → Tiere mit Erbkrankheiten dürfen nicht zur Zucht genommen werden. Siehe Kap. 8.3.
  - **nein** → Entwicklungsstörungen. Die Tiere haben verkürzte, abstehende oder gerollte Kiemendeckel. Oft treten auch Flossendeformationen auf. → Nicht erblich, meist auf einen Mangel während der Entwicklungsphase zurückzuführen. Siehe Kap. 8.3.
- **nein** → B.

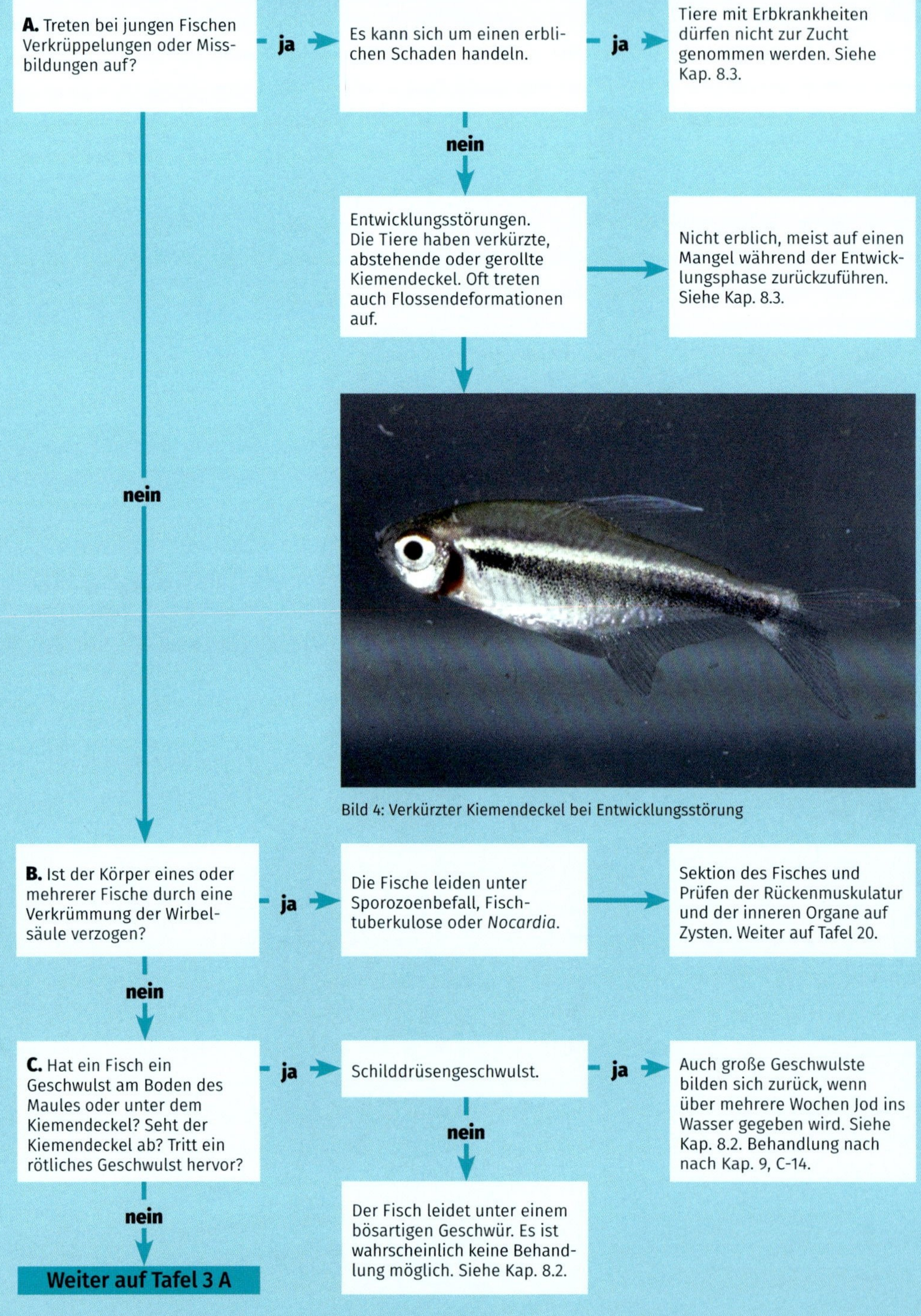

Bild 4: Verkürzter Kiemendeckel bei Entwicklungsstörung

B. Ist der Körper eines oder mehrerer Fische durch eine Verkrümmung der Wirbelsäule verzogen?

- **ja** → Die Fische leiden unter Sporozoenbefall, Fischtuberkulose oder *Nocardia*. → Sektion des Fisches und Prüfen der Rückenmuskulatur und der inneren Organe auf Zysten. Weiter auf Tafel 20.
- **nein** → C.

C. Hat ein Fisch ein Geschwulst am Boden des Maules oder unter dem Kiemendeckel? Seht der Kiemendeckel ab? Tritt ein rötliches Geschwulst hervor?

- **ja** → Schilddrüsengeschwulst.
  - **ja** → Auch große Geschwulste bilden sich zurück, wenn über mehrere Wochen Jod ins Wasser gegeben wird. Siehe Kap. 8.2. Behandlung nach nach Kap. 9, C-14.
  - **nein** → Der Fisch leidet unter einem bösartigen Geschwür. Es ist wahrscheinlich keine Behandlung möglich. Siehe Kap. 8.2.
- **nein** → **Weiter auf Tafel 3 A**

Fortsetzung von Tafel 3.

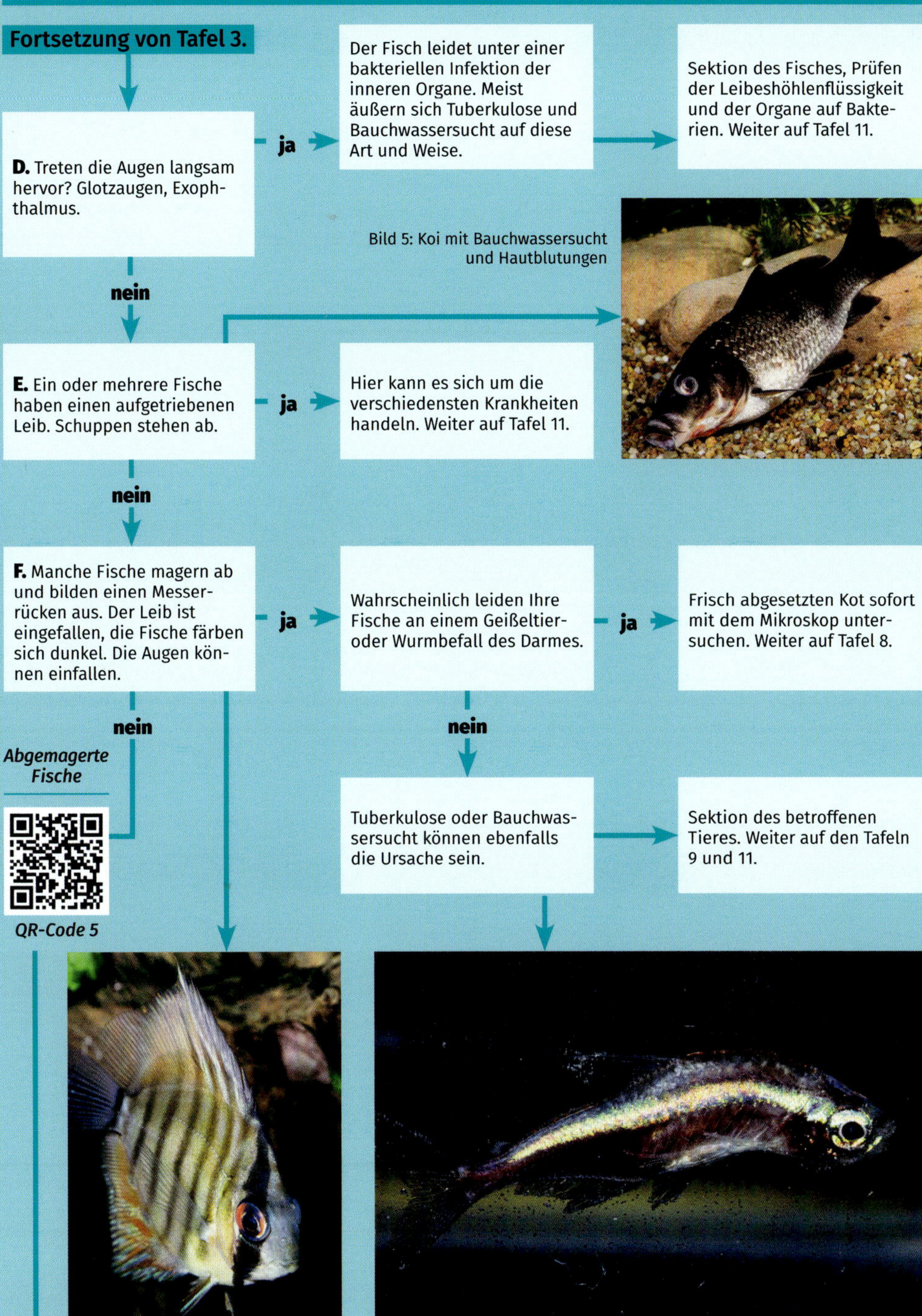

D. Treten die Augen langsam hervor? Glotzaugen, Exophthalmus.

ja → Der Fisch leidet unter einer bakteriellen Infektion der inneren Organe. Meist äußern sich Tuberkulose und Bauchwassersucht auf diese Art und Weise. → Sektion des Fisches, Prüfen der Leibeshöhlenflüssigkeit und der Organe auf Bakterien. Weiter auf Tafel 11.

nein ↓

E. Ein oder mehrere Fische haben einen aufgetriebenen Leib. Schuppen stehen ab.

ja → Hier kann es sich um die verschiedensten Krankheiten handeln. Weiter auf Tafel 11.

Bild 5: Koi mit Bauchwassersucht und Hautblutungen

nein ↓

F. Manche Fische magern ab und bilden einen Messerrücken aus. Der Leib ist eingefallen, die Fische färben sich dunkel. Die Augen können einfallen.

ja → Wahrscheinlich leiden Ihre Fische an einem Geißeltier- oder Wurmbefall des Darmes.

ja → Frisch abgesetzten Kot sofort mit dem Mikroskop untersuchen. Weiter auf Tafel 8.

nein ↓ Tuberkulose oder Bauchwassersucht können ebenfalls die Ursache sein. → Sektion des betroffenen Tieres. Weiter auf den Tafeln 9 und 11.

nein ↓

Abgemagerte Fische

QR-Code 5

Weiter auf Tafel 3 B

Bild 6: Durch Infektion des Darms mit Flagellaten und Bakterien abgemagerter Diskusfisch (*Symphysodon aequifasciatus axelrodi*)

Bild 7: Roter Neon (*Paracheirodon axelrodi*) mit Fischtuberkulose

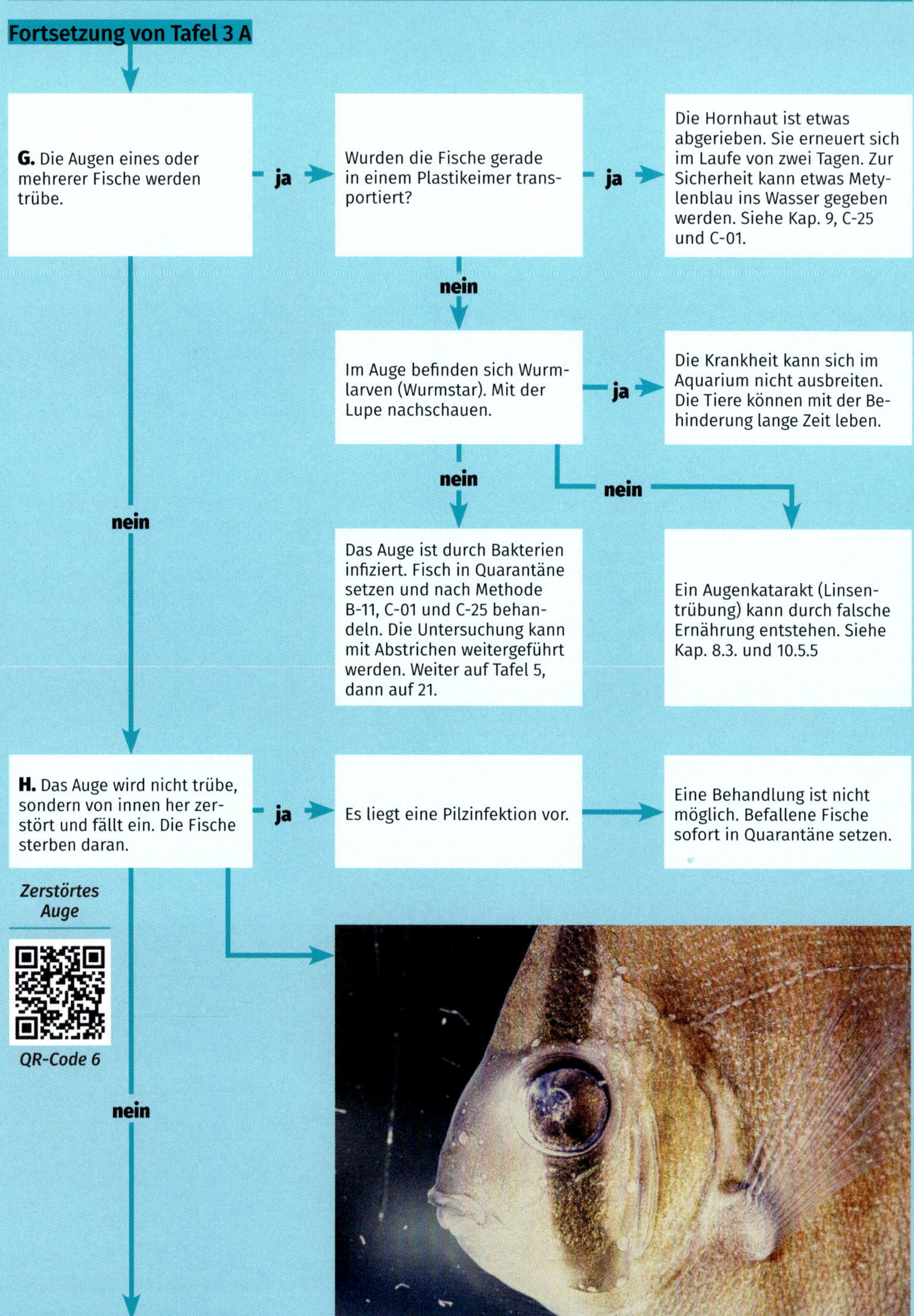

Bild 8: Durch Pilzinfektion zerstörtes Auge

Fortsetzung von Tafel 3 B

Bild 9: Beginnende Pilzinfektion an Verletzung

I. Ihr Fisch hat eine Verletzung durch Kämpfe mit Artgenossen erlitten oder hat sich an der Dekoration eine Wunde zugefügt. Siehe Kapitel 8.4.

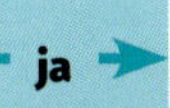

ja → Der Fisch muss sofort in ein Quarantänebecken umgesetzt werden. Um einer Infektion der Wunde durch Pilze und Bakterien vorzubeugen, wird nach A-16, B-12 und C-25 behandelt.

nein ↓

K. Der Fisch sieht aus, als seien ihm kleine Stücke aus dem Körper gerissen worden. Die Wundränder sind blutig.

ja → Das Tier hat eine offene Tuberkulose. Vorsicht! Nicht mit Wunden an den Händen ins Wasser langen! Siehe Kap. 3.2.6.

→ Nehmen Sie Abstriche in den Wunden und stellen Sie Präparate her. Weiter auf den Tafeln 20 und 21.

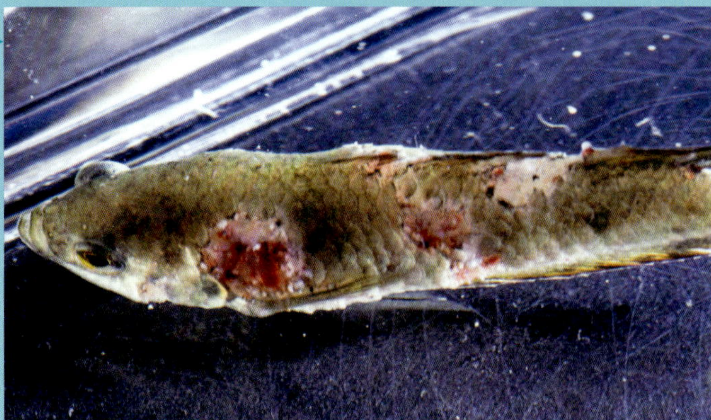

Bild 10: *Macropodus chinensis* mit Fischtuberkulose

Weiter auf Tafel 4

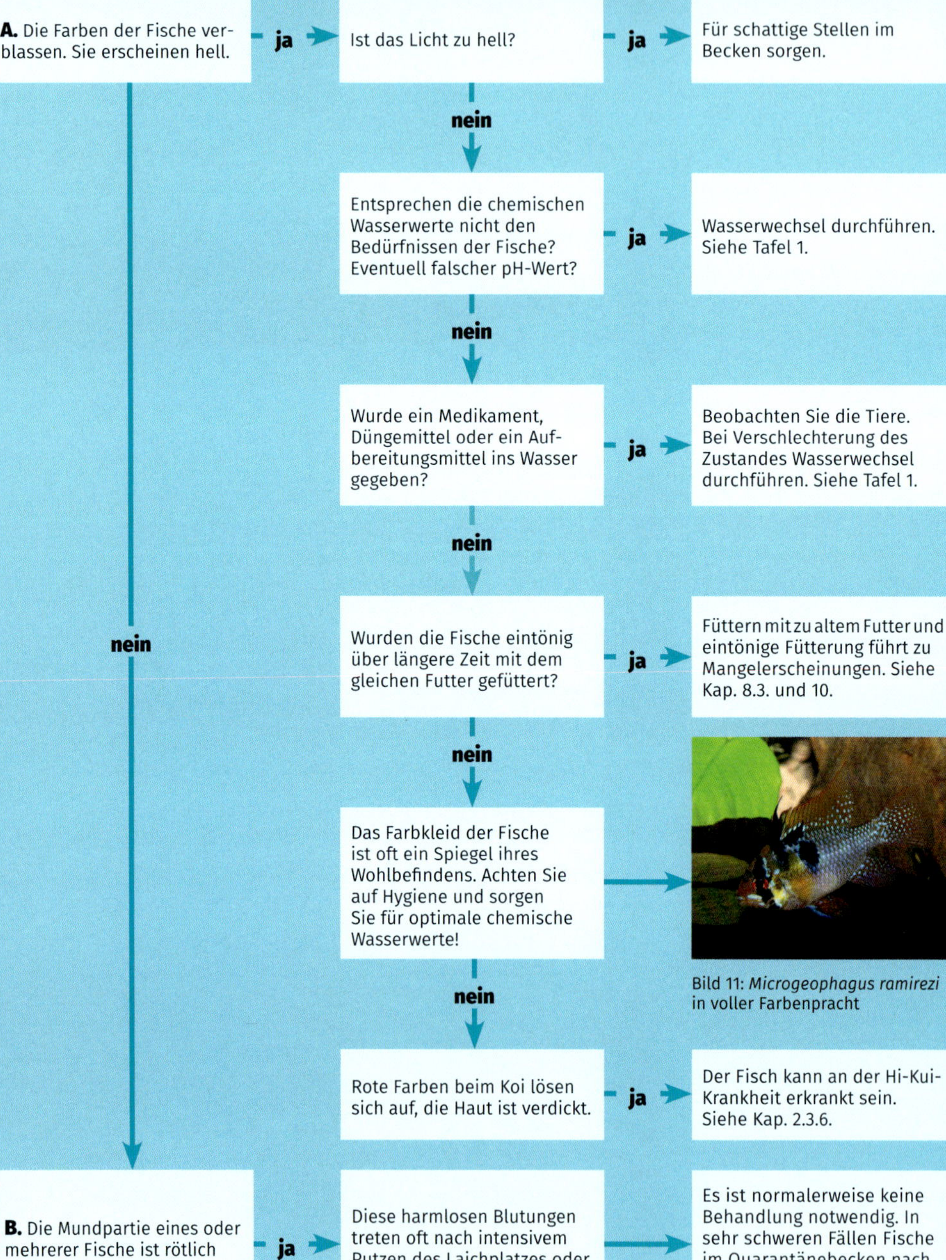

A. Die Farben der Fische verblassen. Sie erscheinen hell.

- ja → Ist das Licht zu hell?
  - ja → Für schattige Stellen im Becken sorgen.
  - nein → Entsprechen die chemischen Wasserwerte nicht den Bedürfnissen der Fische? Eventuell falscher pH-Wert?
    - ja → Wasserwechsel durchführen. Siehe Tafel 1.
    - nein → Wurde ein Medikament, Düngemittel oder ein Aufbereitungsmittel ins Wasser gegeben?
      - ja → Beobachten Sie die Tiere. Bei Verschlechterung des Zustandes Wasserwechsel durchführen. Siehe Tafel 1.
      - nein → Wurden die Fische eintönig über längere Zeit mit dem gleichen Futter gefüttert?
        - ja → Füttern mit zu altem Futter und eintönige Fütterung führt zu Mangelerscheinungen. Siehe Kap. 8.3. und 10.
        - nein → Das Farbkleid der Fische ist oft ein Spiegel ihres Wohlbefindens. Achten Sie auf Hygiene und sorgen Sie für optimale chemische Wasserwerte! → (Bild 11)
          - nein → Rote Farben beim Koi lösen sich auf, die Haut ist verdickt.
            - ja → Der Fisch kann an der Hi-Kui-Krankheit erkrankt sein. Siehe Kap. 2.3.6.
- nein → B.

Bild 11: *Microgeophagus ramirezi* in voller Farbenpracht

B. Die Mundpartie eines oder mehrerer Fische ist rötlich bis intensiv rot gefärbt.

- ja → Diese harmlosen Blutungen treten oft nach intensivem Putzen des Laichplatzes oder nach Maulkämpfen auf. → Es ist normalerweise keine Behandlung notwendig. In sehr schweren Fällen Fische im Quarantänebecken nach Kap. 9, B-10 C-1 oder C-25 behandeln.
- nein → Weiter auf Tafel 4 A

Fortsetzung von Tafel 4

C. Tritt eine Schwarzfärbung von ganzen Körperteilen ein?

ja → Nervenbahnen, die der Farbsteuerung der Haut dienen, sind geklemmt oder erkrankt. → Befindet sich ein Geschwulst hinter einem Kiemendeckel? Weiter auf Tafel 3 C.

Bild 12: Schwarzgefärbte rechte Kopfseite, da das Schilddrüsengeschwulst unterdemKiemendeckelauf den farbsteuernden Nerv drückt

nein ↓

D. Die Haut des Fisches ist an eng begrenzten Stellen tiefschwarz verfärbt. Die Stellen verdicken sich, die Schuppen stellen sich.

ja → Der Fisch leidet unter einem Melanosarkom. Das ist ein bösartiges Geschwulst. Siehe Kap. 8.2. Der Fisch ist schmerzlos zu töten. Siehe Kap. 8.2. und 1.6.

Bild 13: Melanosarkom in der Schwanzwurzel

nein ↓

E. Ein oder mehrere Fische sind ständig dunkel bis schwarz gefärbt. Sie sondern sich ab und fressen nicht mehr. Manchmal ist eine leichte Auftreibung des Leibes festzustellen.

ja → Die Fische leiden wahrscheinlich unter einer Infektion des Darmes durch Flagellaten. Siehe auch Tafel 1 A, D und E; Kap. 5.1. und 5.2. → Kot untersuchen. Weiter auf Tafel 8.

nein ↓

Weiter auf Tafel 5

A. Am Fisch sind mit der Lupe punktförmige, rote Einstiche zu sehen.

→ ja: Sie haben sich mit Lebendfutter aus dem Teich eine Karpfenlaus eingeschleppt. Siehe Kap. 7.2. → Fische genau beobachten, bis man die Karpfenlaus entdeckt. Fisch herausnehmen und den Parasit mit der Pinzette entfernen. Bei mehreren Exemplaren nach Kap. 9, C-07, C-09, C-15, C-21, C-26 behandeln.

↓ ja

B. Auf der Haut befinden sich durchsichtige, scheibenförmige Krebse von mehreren Millimetern Länge.

→ ja: Sie haben sich mit Lebendfutter aus dem Teich eine Karpfenlaus eingeschleppt. Siehe Kap. 7.2.

↓ nein

C. Aus der Haut ragen länglich-ovale Gebilde von bis zu 10 mm Länge.

→ ja: Es handelt sich um Ankerwürmer, das sind *Copepoden*, z. B. *Lernaea*. Das Vorderteil der Parasiten steckt tiefer in der Haut. Siehe Kap. 7.1. und 7.2. → Die Fische in dem Aquarium nach Kap. 9, Methode C-07, C-09, C-15, C-21, C-26 behandeln.

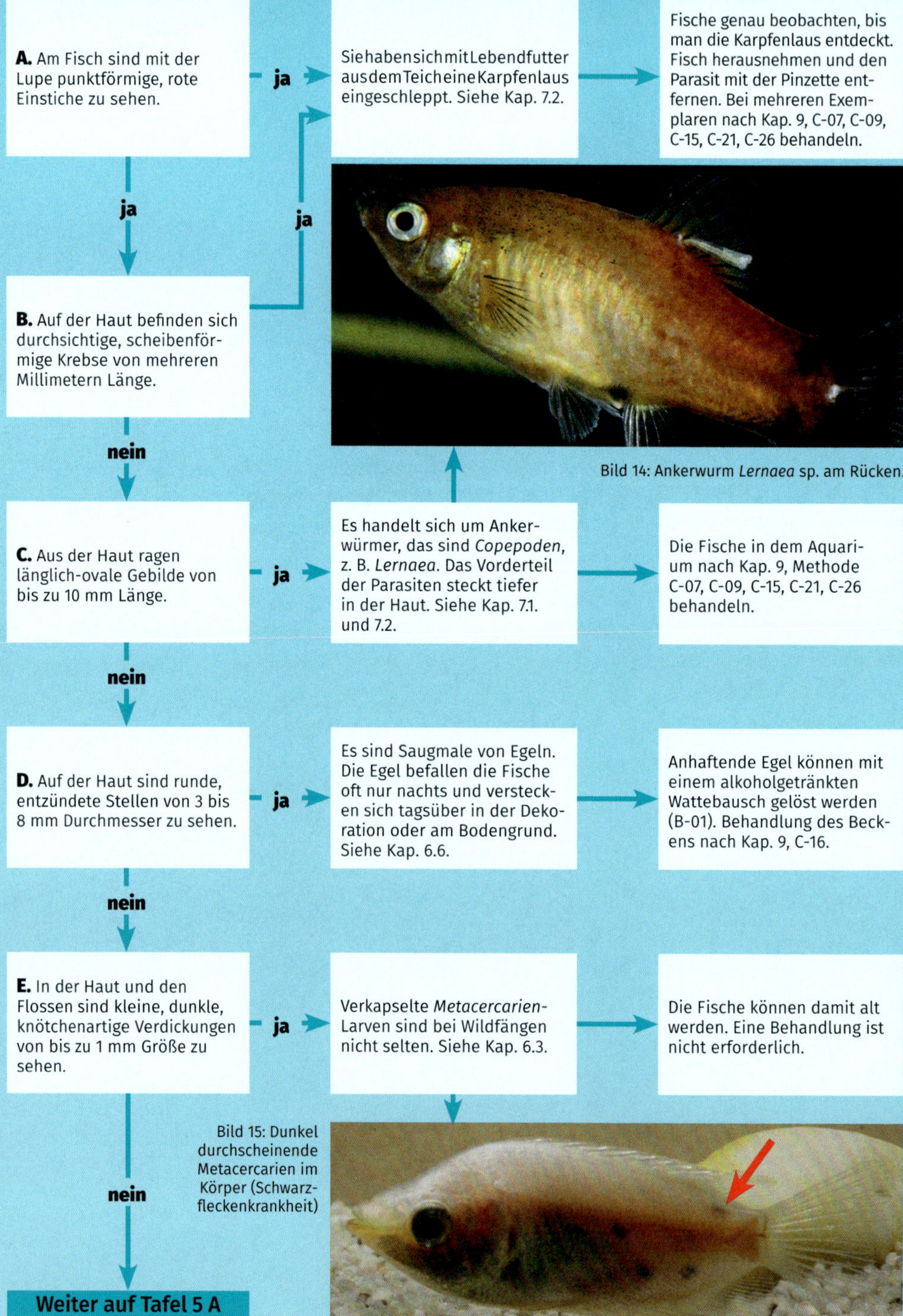

Bild 14: Ankerwurm *Lernaea* sp. am Rücken.

↓ nein

D. Auf der Haut sind runde, entzündete Stellen von 3 bis 8 mm Durchmesser zu sehen.

→ ja: Es sind Saugmale von Egeln. Die Egel befallen die Fische oft nur nachts und verstecken sich tagsüber in der Dekoration oder am Bodengrund. Siehe Kap. 6.6. → Anhaftende Egel können mit einem alkoholgetränkten Wattebausch gelöst werden (B-01). Behandlung des Beckens nach Kap. 9, C-16.

↓ nein

E. In der Haut und den Flossen sind kleine, dunkle, knötchenartige Verdickungen von bis zu 1 mm Größe zu sehen.

→ ja: Verkapselte *Metacercarien*-Larven sind bei Wildfängen nicht selten. Siehe Kap. 6.3. → Die Fische können damit alt werden. Eine Behandlung ist nicht erforderlich.

Bild 15: Dunkel durchscheinende Metacercarien im Körper (Schwarzfleckenkrankheit)

↓ nein

Weiter auf Tafel 5 A

Fortsetzung von Tafel 5

F. Die Fische sehen wie mit Gries bestreut aus. Die Erhebungen sind weiß und 0,5 – 1,5 mm im Durchmesser. Im Endstadium löst sich die Haut in Fetzen ab.

ja → Wenn es sich um Süßwasserfische handelt, sind sie von dem Einzeller *Ichthyophthirius* befallen. Siehe Kap. 5.7.2.2.1.

ja → Abstriche nehmen und die Behandlung sofort beginnen, ein Zögern kann für viele Fische tödlich sein. Behandlung nach Kap. 9, B-13, C-22, C-35.

nein → Meerwasserfische leiden unter *Cryptocaryon irritans*. Siehe Kap. 5.7.2.2.2. Größe 1 bis 2 mm.

→ Es kann zwischen den Methoden C-18 und C-19 gewählt werden. Diagnose durch Abstriche sichern.

Ichthyo am Fisch

QR-Code 7

Bild 16: Weiße Pünktchen (Grieskörnchenkrankheit) *Ichthyophthirius multifilii* an der Haut

nein

G. Man sieht einzelne weiße Punkte an der Haut. Ihre Größe ist 0,3 bis 1 mm.

ja → Sie haben eine beginnende Ichthyophthyrius-Infektion an Ihren Süßwasserfischen entdeckt.

→ Die Behandlung kann nach B-07 durchgeführt werden. Die schnellste Methode ist Kap. 9, B-13, C-22, C-35.

nein

H. Auf der Haut bilden sich weißlich durchscheinende Stellen mit klar erkennbaren Grenzen und von 1–3 cm Größe. Oft nur zu sehen, wenn der Fisch frontal zum Beobachter steht. (Bild 17)

ja → Ihre Fische leiden unter dem einzelligen Wimpertier *Chilodonella*. Siehe Kap. 5.7.1.2.

→ Im Abstrichpräparat sind oft mehrere der Erreger zu finden. Die Behandlung wird nach Kap. 9, B-13, C-01, C-16, C-22, C-35 durchgeführt.

Bild 17: Runde Flecken auf der Haut durch *Chilodonella sp.*

nein

Weiter auf Tafel 5 B

Fortsetzung von Tafel 5a.

I. Starke Schleimabsonderung bei Meerwasserfischen verbunden mit Appetitlosigkeit, Trägheit und starker Atmung. Im Endstadium treten flächige Hautablösungen auf.

ja → Ihre Fische leiden unter einem Befall von *Brooklynella hostillis*. Siehe Kap. 5.7.1.3. → Bei dem geringsten Verdacht sofort Haut- und Kiemenabstriche nehmen, um den Parasiten sicher nachzuweisen. Sofort nach Kap. 9, C-13, C-22 oder B-13 behandeln.

nein ↓

K. Auf der Schleimhaut und an den Schuppenrändern sitzen winzige, schmutzig-weiße bis gelblich gefärbte Pünktchen, die bis zu 0,3 mm groß werden (Lupe nehmen).

ja → Die Fische sind von Oodinidae befallen. Es tritt in Süß- und Meerwasser auf. Siehe Kap. 5.1.1. → Hautabstrich nehmen und das Präparat mit dem Mikroskop untersuchen.

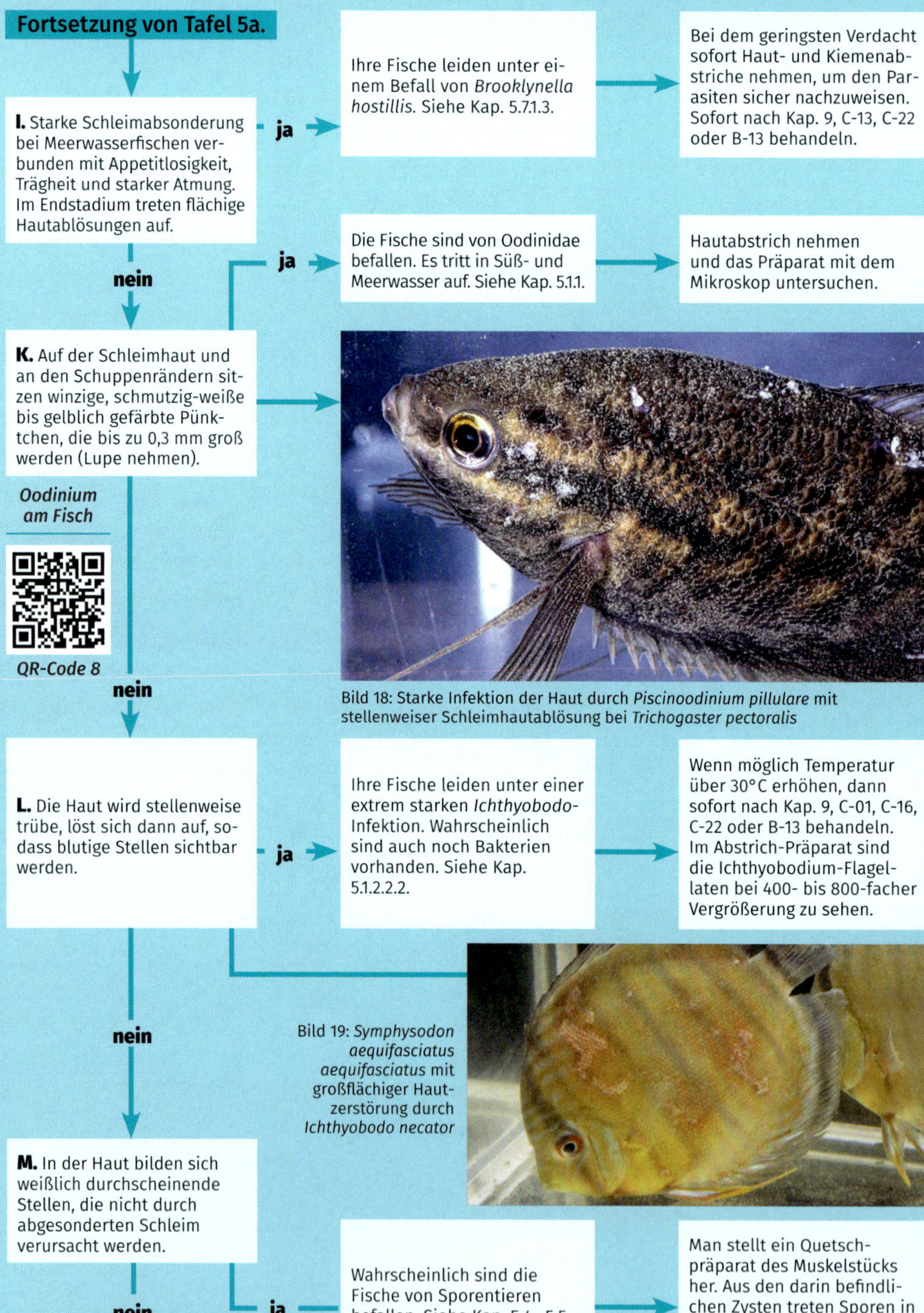

Oodinium am Fisch

QR-Code 8

Bild 18: Starke Infektion der Haut durch *Piscinoodinium pillulare* mit stellenweiser Schleimhautablösung bei *Trichogaster pectoralis*

nein ↓

L. Die Haut wird stellenweise trübe, löst sich dann auf, sodass blutige Stellen sichtbar werden.

ja → Ihre Fische leiden unter einer extrem starken *Ichthyobodo*-Infektion. Wahrscheinlich sind auch noch Bakterien vorhanden. Siehe Kap. 5.1.2.2.2. → Wenn möglich Temperatur über 30 °C erhöhen, dann sofort nach Kap. 9, C-01, C-16, C-22 oder B-13 behandeln. Im Abstrich-Präparat sind die Ichthyobodium-Flagellaten bei 400- bis 800-facher Vergrößerung zu sehen.

Bild 19: *Symphysodon aequifasciatus aequifasciatus* mit großflächiger Hautzerstörung durch *Ichthyobodo necator*

nein ↓

M. In der Haut bilden sich weißlich durchscheinende Stellen, die nicht durch abgesonderten Schleim verursacht werden.

ja → Wahrscheinlich sind die Fische von Sporentieren befallen. Siehe Kap. 5.4., 5.5. und 5.6. → Man stellt ein Quetschpräparat des Muskelstücks her. Aus den darin befindlichen Zysten treten Sporen in großer Zahl aus. Behandlung nach Kap. 9, C-39. A-11 hilft in seltenen Fällen.

nein ↓

Weiter auf Tafel 5 C

Fortsetzung von Tafel 5 B

N. Bei Neonfischen ist das Farbband unterbrochen, die Muskulatur scheint trübe und weiß durch.

- **ja** → Die Fische leiden unter einem Befall der Sporentiere *Pleistophora*. Siehe Kap. 5.4.1. → Eine Behandlung ist nach Kap. 9, C-39 möglich. Weiter auf Tafel 20.
- **nein** ↓

O. Eine Trübung der Haut tritt auf. Das Farbband bei Neonfischen wirkt an dieser Seite blass.

- **ja** → Ist der pH-Wert zu hoch?
  - **ja** → Ursache ergründen, pH-Wert absenken, eventuell Wasserwechsel. Siehe Kap. 8.5.2. pH-minus-Lösungen aus dem Zoofachhandel.
  - **nein** → Befall der Haut von Parasiten oder Bakterien. Abstrich nehmen.
- **nein** ↓

P. Die Haut sondert stark Schleim ab. Sie ist stellenweise trübe und entzündet.

- **ja** → Entspricht der pH-Wert den Bedürfnissen der Fische?
  - **ja** → Die Haut ist von Parasiten und/oder Bakterien infiziert.
  - **nein** → Auch extreme Abweichungen des pH-Wertes führen zur Schleimproduktion der Haut. Wasserwechsel und pH-Wert wieder einstellen. Siehe Kap. 8.5.2.
- **nein** ↓

Q. Aus weißen und rot geränderten Verletzungen der Haut wachsen weiße Fäden und bilden dann ein wattebauchartiges Gebilde.

- **ja** → Die Wunde wurde von Pilzen infiziert. Siehe Kap. 4.1. → Schnelle Gegenmaßnahmen sind erforderlich. Fisch in Quarantäne setzen. Man behandelt nach Kap. 9, C-01, C-22, C-35, A-16 oder B-12.
- **nein** ↓

Weiter auf Tafel 5 D

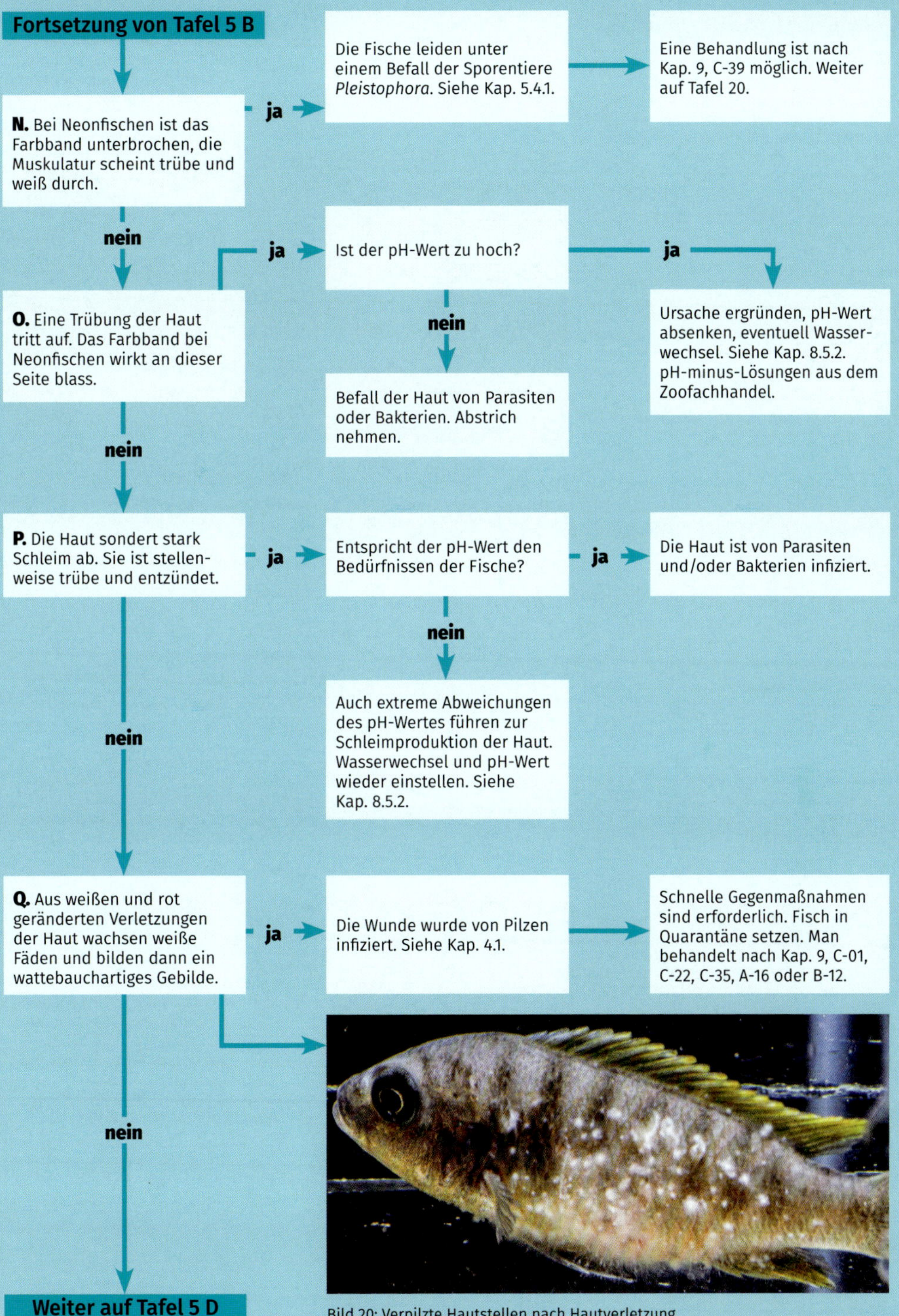

Bild 20: Verpilzte Hautstellen nach Hautverletzung

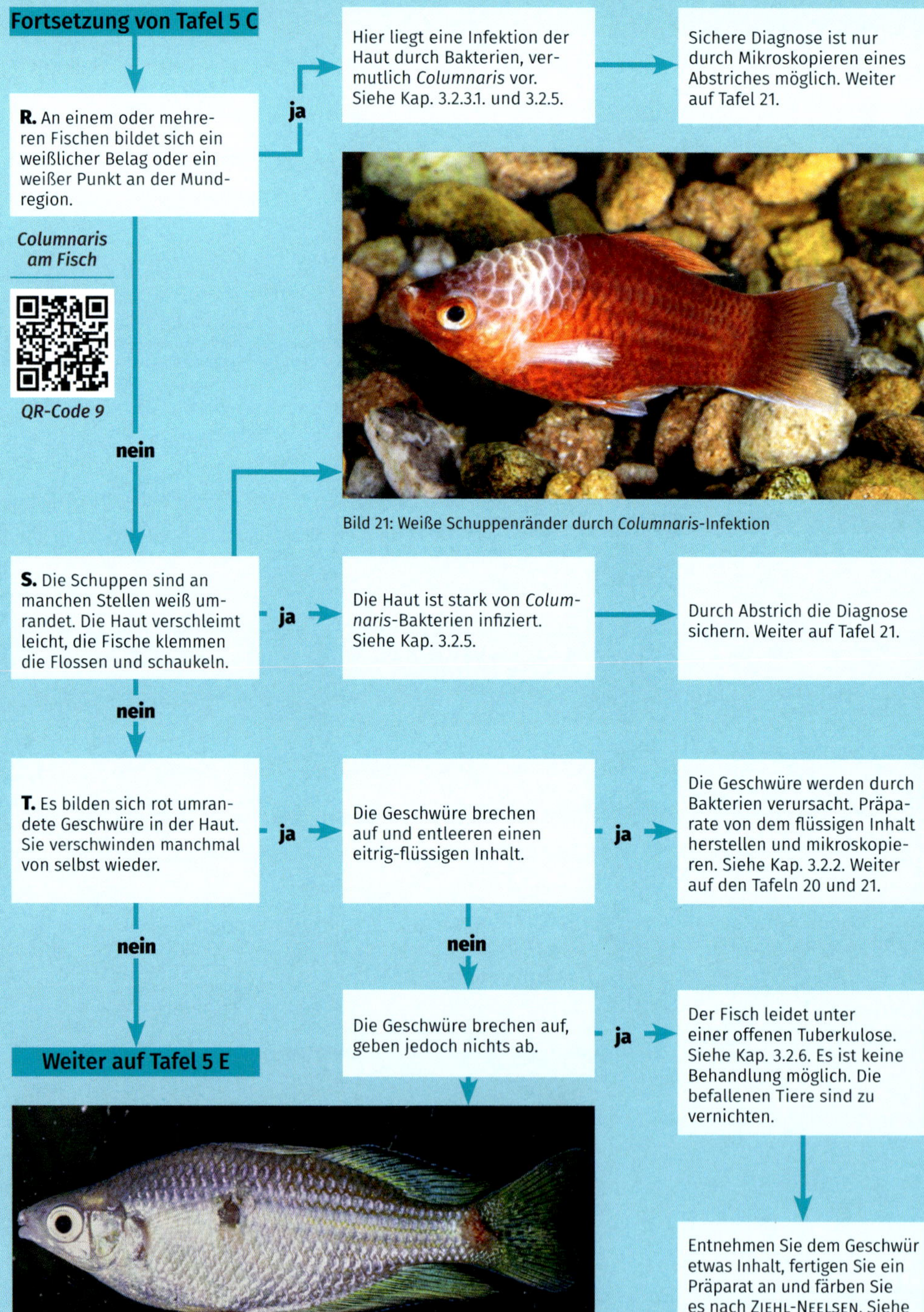

Fortsetzung von Tafel 5 C

R. An einem oder mehreren Fischen bildet sich ein weißlicher Belag oder ein weißer Punkt an der Mundregion.

ja → Hier liegt eine Infektion der Haut durch Bakterien, vermutlich *Columnaris* vor. Siehe Kap. 3.2.3.1. und 3.2.5. → Sichere Diagnose ist nur durch Mikroskopieren eines Abstriches möglich. Weiter auf Tafel 21.

Columnaris am Fisch

QR-Code 9

Bild 21: Weiße Schuppenränder durch *Columnaris*-Infektion

nein

S. Die Schuppen sind an manchen Stellen weiß umrandet. Die Haut verschleimt leicht, die Fische klemmen die Flossen und schaukeln.

ja → Die Haut ist stark von *Columnaris*-Bakterien infiziert. Siehe Kap. 3.2.5. → Durch Abstrich die Diagnose sichern. Weiter auf Tafel 21.

nein

T. Es bilden sich rot umrandete Geschwüre in der Haut. Sie verschwinden manchmal von selbst wieder.

ja → Die Geschwüre brechen auf und entleeren einen eitrig-flüssigen Inhalt.

ja → Die Geschwüre werden durch Bakterien verursacht. Präparate von dem flüssigen Inhalt herstellen und mikroskopieren. Siehe Kap. 3.2.2. Weiter auf den Tafeln 20 und 21.

nein → Die Geschwüre brechen auf, geben jedoch nichts ab.

ja → Der Fisch leidet unter einer offenen Tuberkulose. Siehe Kap. 3.2.6. Es ist keine Behandlung möglich. Die befallenen Tiere sind zu vernichten.

Entnehmen Sie dem Geschwür etwas Inhalt, fertigen Sie ein Präparat an und färben Sie es nach ZIEHL-NEELSEN. Siehe Kap. 12.8.7. Weiter auf den Tafeln 20 und 21.

nein

Weiter auf Tafel 5 E

Bild 22: Regenbogenfisch mit Geschwüren durch Fischtuberkulose

Fortsetzung von Tafel 5 D

U. Unter der Haut im Muskel bildet sich im Laufe mehrerer Wochen eine Wölbung, die weit über die Oberfläche des Körpers ragen kann. Die Schuppen können an dieser Stelle abstehen.

ja → In der Muskulatur bildet sich eine Sporozoenzyste oder ein Geschwür. Siehe Kap. 5.4., 5.5., 5.6. und 8.2.

ja → Zur Diagnose muss das Geschwür geöffnet und ein Präparat angefertigt werden. Weiter auf Tafel 20.

nein → Es handelt sich doch um eine Auftreibung des Leibes. → Durch eine Sektion ist die Diagnose zu sichern. Weiter Tafel 11.

nein

V. Es bilden sich Bläschen an der Seitenlinie. Oft in Verbindung mit aufgedunsenem Körper, Schuppensträube und Glotzaugen.

ja → Der Fisch leidet unter Bauchwassersucht. Siehe auch Tafel 3 A, D und E.

Bild 23: *Symphysodon discus* mit Bauchwassersucht: aufgetriebener Leib, Glotzaugen und Bläschen an der Seitenlinie

nein

Lymphocystis am Fisch

QR-Code 10

W. Auf der Haut und den Flossen bilden sich kuglige, klare Erhebungen, die anhaftendem Laich ähnlich sehen, nicht abstreifbar sind und eine Größe von 0,5 bis 2 mm erreichen.

ja → Ihre Fische leiden unter Lymphocystis, einer heilbaren Viruskrankheit. Siehe Kap. 3.1.1. → Die Fische werden sofort in Quarantäne gesetzt. Behandlung nach Kap. 9, C-36.

Bild 24: *Trichogaster leeri* mit vielen Lymphocystisknötchen an Haut und Flossen

nein

X. In der Haut bilden sich verschieden große Bläschen, die beim Darüberstreichen platzen. Das ergibt ein knisterndes Geräusch.

ja → Die Fische leiden unter der Gasblasenkrankheit. Siehe Kap. 8.5.5. → Wasser gut durchlüften.

nein

Y. Sie haben an der Haut sich bewegende Lebewesen gefunden, die keinem Erreger ähnlich sind. Siehe Kap. 5.7.5., 6.3.1., 6.2. und 6.6. Siehe auch Tafeln 8 und 14.

nein

Z. Auf der Haut von Koi befinden sich unregelmäßige Verdickungen von 1 bis 3 cm Größe.

ja → Es handelt sich um Dermocystidium. Siehe Kap. 4.4. → Probe von der Zyste nehmen, Sporen nachweisen.

nein

Weiter auf Tafel 6

A. Die Fische sträuben die Flossen, sie springen, schießen umher und atmen schnell.

- ja → Der pH-Wert kann zu niedrig ein. Siehe Kap. 8.5.2.
  - ja → Schleunigst mehrmals einen Wasserwechsel vornehmen. pH-plus-Lösungen aus dem Zoofachhandel.
  - nein → Eine Vergiftung liegt vor. Siehe Kap. 8.5.4. → Mehrmaligen Wasserwechsel vornehmen und über frische Aktivkohle filtern.
- nein ↓

B. Die Flossen fasern aus und die Haut verfärbt sich weißlich.

- ja → Der pH-Wert kann zu hoch sein. Siehe Kap. 8.5.2. und Tafel 5 C, O. → Durch mehrmaligen Wasserwechsel pH-Wert senken.
- nein ↓

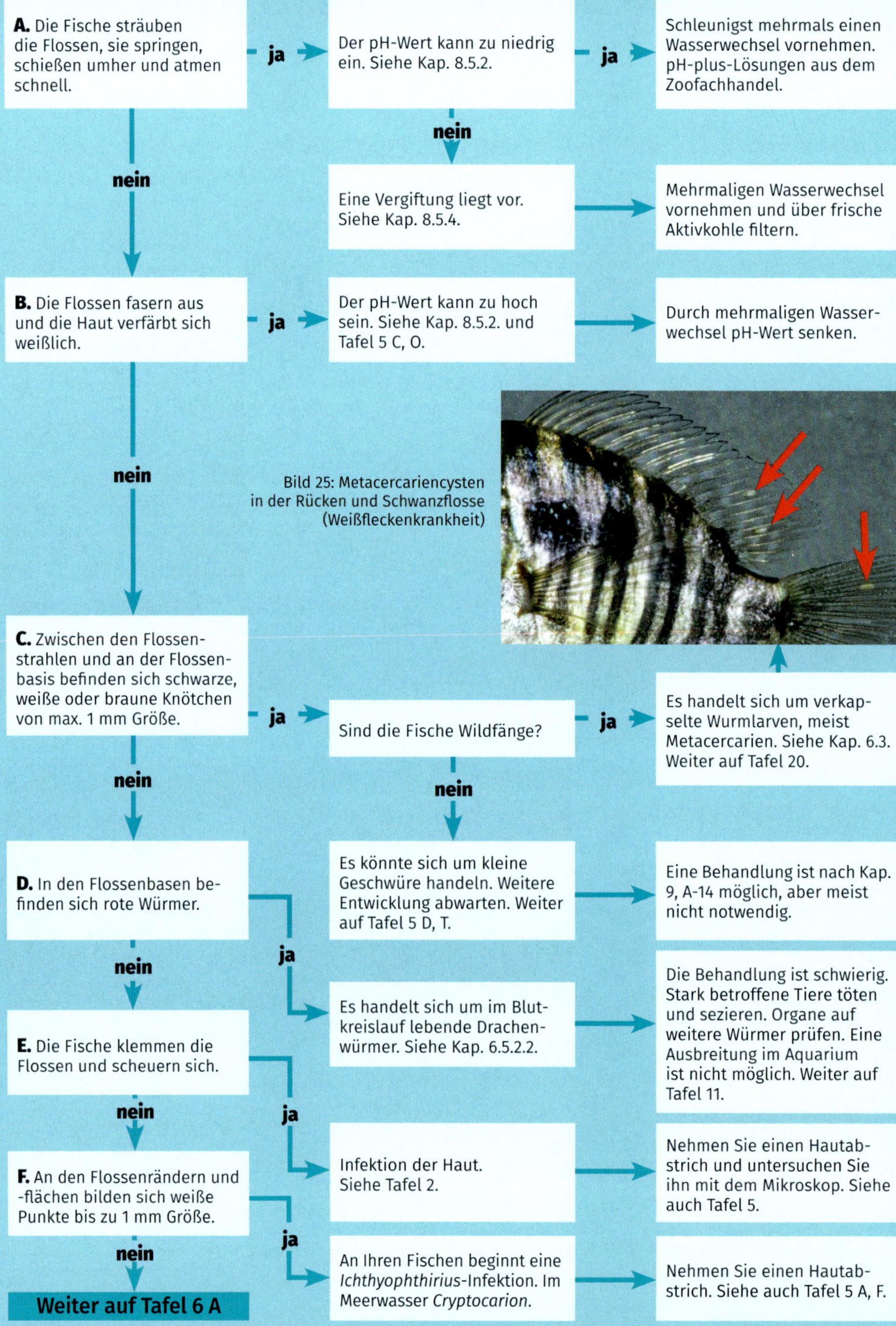

Bild 25: Metacercariencysten in der Rücken und Schwanzflosse (Weißfleckenkrankheit)

C. Zwischen den Flossenstrahlen und an der Flossenbasis befinden sich schwarze, weiße oder braune Knötchen von max. 1 mm Größe.

- ja → Sind die Fische Wildfänge?
  - ja → Es handelt sich um verkapselte Wurmlarven, meist Metacercarien. Siehe Kap. 6.3. Weiter auf Tafel 20.
  - nein → Es könnte sich um kleine Geschwüre handeln. Weitere Entwicklung abwarten. Weiter auf Tafel 5 D, T. → Eine Behandlung ist nach Kap. 9, A-14 möglich, aber meist nicht notwendig.
- nein ↓

D. In den Flossenbasen befinden sich rote Würmer.

- ja → Es handelt sich um im Blutkreislauf lebende Drachenwürmer. Siehe Kap. 6.5.2.2. → Die Behandlung ist schwierig. Stark betroffene Tiere töten und sezieren. Organe auf weitere Würmer prüfen. Eine Ausbreitung im Aquarium ist nicht möglich. Weiter auf Tafel 11.
- nein ↓

E. Die Fische klemmen die Flossen und scheuern sich.

- ja → Infektion der Haut. Siehe Tafel 2. → Nehmen Sie einen Hautabstrich und untersuchen Sie ihn mit dem Mikroskop. Siehe auch Tafel 5.
- nein ↓

F. An den Flossenrändern und -flächen bilden sich weiße Punkte bis zu 1 mm Größe.

- ja → An Ihren Fischen beginnt eine *Ichthyophthirius*-Infektion. Im Meerwasser *Cryptocarion*. → Nehmen Sie einen Hautabstrich. Siehe auch Tafel 5 A, F.
- nein ↓

Weiter auf Tafel 6 A

Fortsetzung von Tafel 6

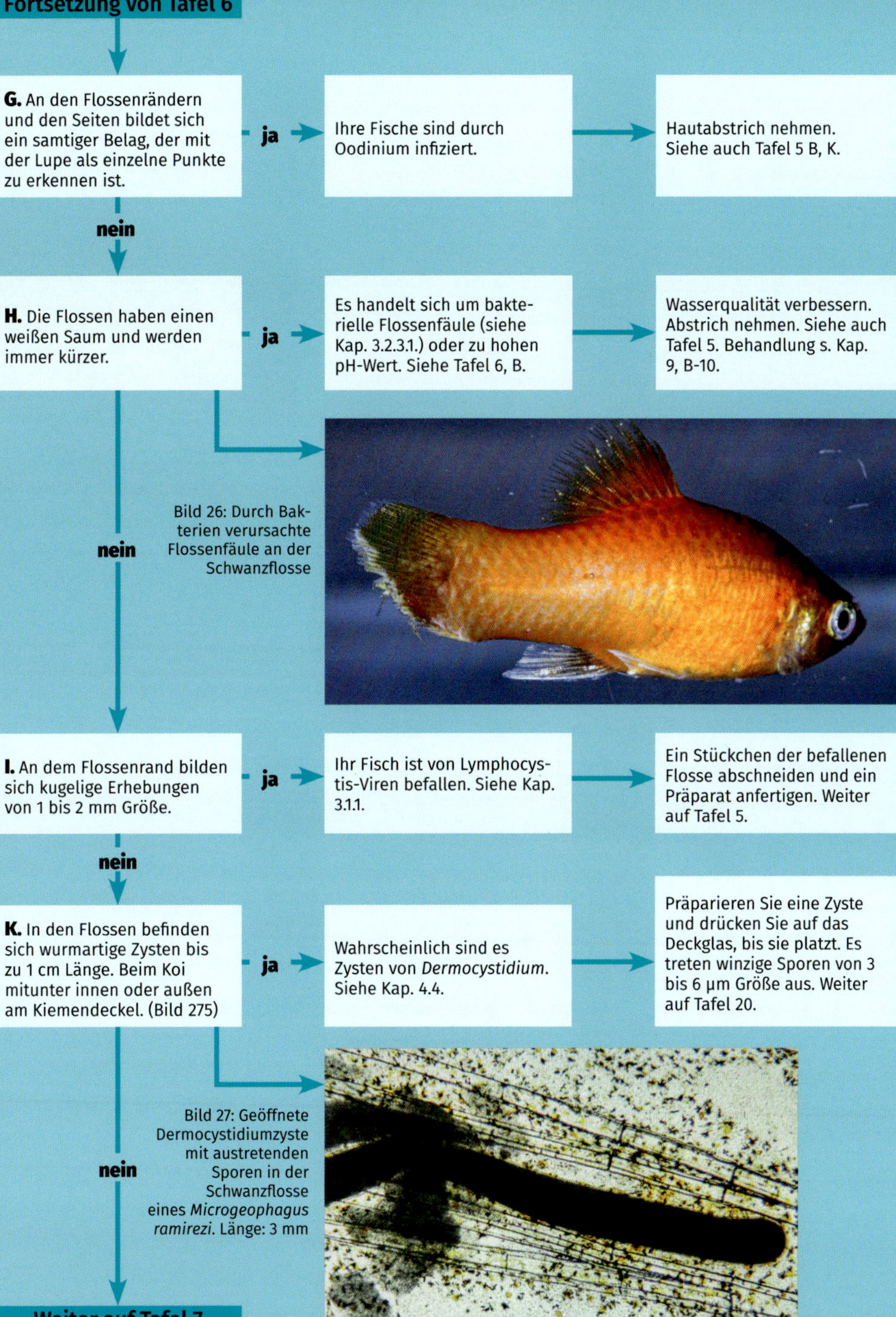

G. An den Flossenrändern und den Seiten bildet sich ein samtiger Belag, der mit der Lupe als einzelne Punkte zu erkennen ist.

ja → Ihre Fische sind durch Oodinium infiziert. → Hautabstrich nehmen. Siehe auch Tafel 5 B, K.

nein ↓

H. Die Flossen haben einen weißen Saum und werden immer kürzer.

ja → Es handelt sich um bakterielle Flossenfäule (siehe Kap. 3.2.3.1.) oder zu hohen pH-Wert. Siehe Tafel 6, B. → Wasserqualität verbessern. Abstrich nehmen. Siehe auch Tafel 5. Behandlung s. Kap. 9, B-10.

Bild 26: Durch Bakterien verursachte Flossenfäule an der Schwanzflosse

nein ↓

I. An dem Flossenrand bilden sich kugelige Erhebungen von 1 bis 2 mm Größe.

ja → Ihr Fisch ist von Lymphocystis-Viren befallen. Siehe Kap. 3.1.1. → Ein Stückchen der befallenen Flosse abschneiden und ein Präparat anfertigen. Weiter auf Tafel 5.

nein ↓

K. In den Flossen befinden sich wurmartige Zysten bis zu 1 cm Länge. Beim Koi mitunter innen oder außen am Kiemendeckel. (Bild 275)

ja → Wahrscheinlich sind es Zysten von *Dermocystidium*. Siehe Kap. 4.4. → Präparieren Sie eine Zyste und drücken Sie auf das Deckglas, bis sie platzt. Es treten winzige Sporen von 3 bis 6 µm Größe aus. Weiter auf Tafel 20.

Bild 27: Geöffnete Dermocystidiumzyste mit austretenden Sporen in der Schwanzflosse eines *Microgeophagus ramirezi*. Länge: 3 mm

nein ↓

Weiter auf Tafel 7

Für die nun folgenden Untersuchungen sollten Sie Kapitel 2 und Kapitel 3 gelesen haben.

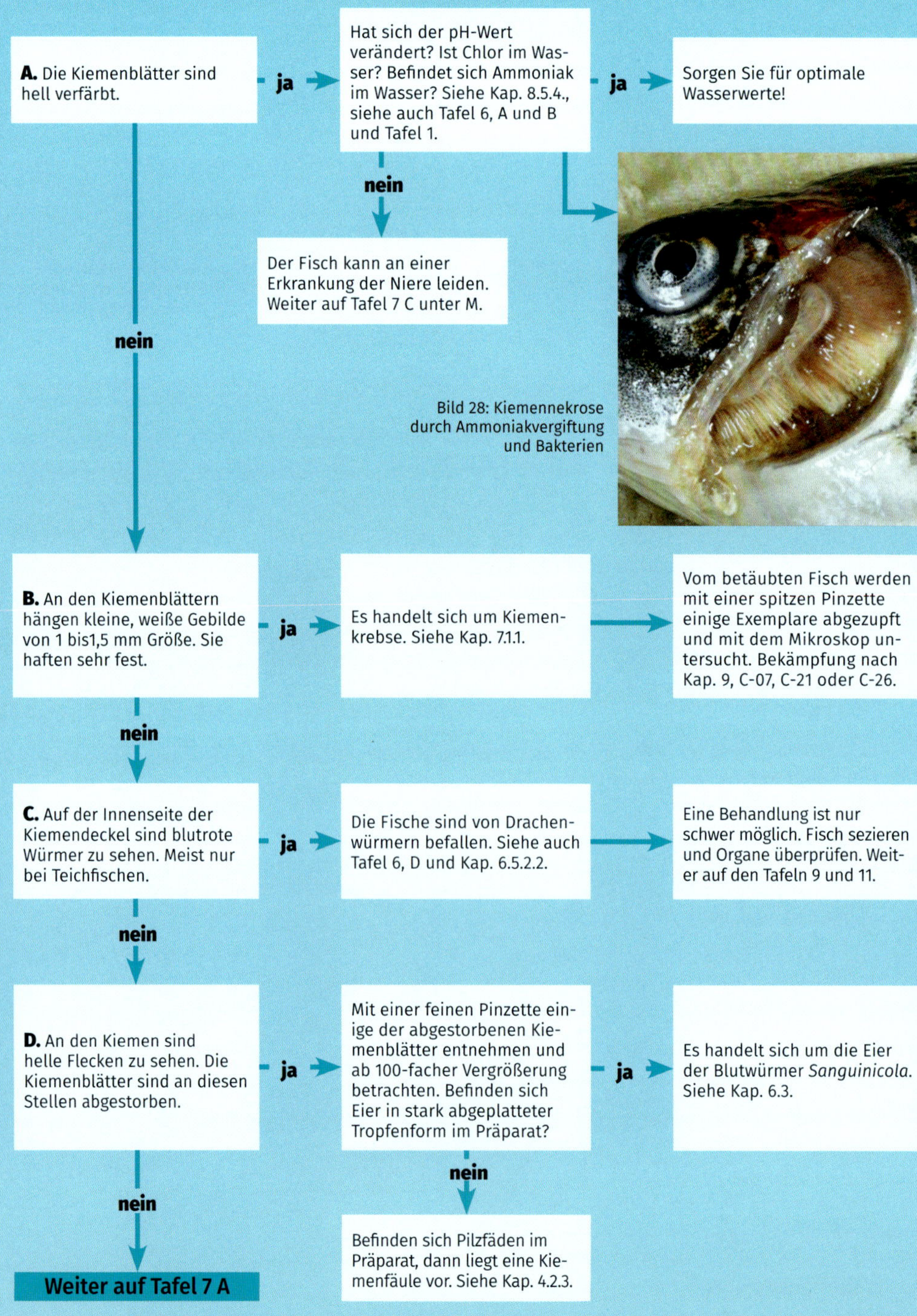

A. Die Kiemenblätter sind hell verfärbt.

- **ja** → Hat sich der pH-Wert verändert? Ist Chlor im Wasser? Befindet sich Ammoniak im Wasser? Siehe Kap. 8.5.4., siehe auch Tafel 6, A und B und Tafel 1.
  - **ja** → Sorgen Sie für optimale Wasserwerte!
  - **nein** → Der Fisch kann an einer Erkrankung der Niere leiden. Weiter auf Tafel 7 C unter M.
- **nein** → B.

Bild 28: Kiemennekrose durch Ammoniakvergiftung und Bakterien

B. An den Kiemenblättern hängen kleine, weiße Gebilde von 1 bis1,5 mm Größe. Sie haften sehr fest.

- **ja** → Es handelt sich um Kiemenkrebse. Siehe Kap. 7.1.1. → Vom betäubten Fisch werden mit einer spitzen Pinzette einige Exemplare abgezupft und mit dem Mikroskop untersucht. Bekämpfung nach Kap. 9, C-07, C-21 oder C-26.
- **nein** → C.

C. Auf der Innenseite der Kiemendeckel sind blutrote Würmer zu sehen. Meist nur bei Teichfischen.

- **ja** → Die Fische sind von Drachenwürmern befallen. Siehe auch Tafel 6, D und Kap. 6.5.2.2. → Eine Behandlung ist nur schwer möglich. Fisch sezieren und Organe überprüfen. Weiter auf den Tafeln 9 und 11.
- **nein** → D.

D. An den Kiemen sind helle Flecken zu sehen. Die Kiemenblätter sind an diesen Stellen abgestorben.

- **ja** → Mit einer feinen Pinzette einige der abgestorbenen Kiemenblätter entnehmen und ab 100-facher Vergrößerung betrachten. Befinden sich Eier in stark abgeplatteter Tropfenform im Präparat?
  - **ja** → Es handelt sich um die Eier der Blutwürmer *Sanguinicola*. Siehe Kap. 6.3.
  - **nein** → Befinden sich Pilzfäden im Präparat, dann liegt eine Kiemenfäule vor. Siehe Kap. 4.2.3.
- **nein** → **Weiter auf Tafel 7 A**

Fortsetzung von Tafel 7

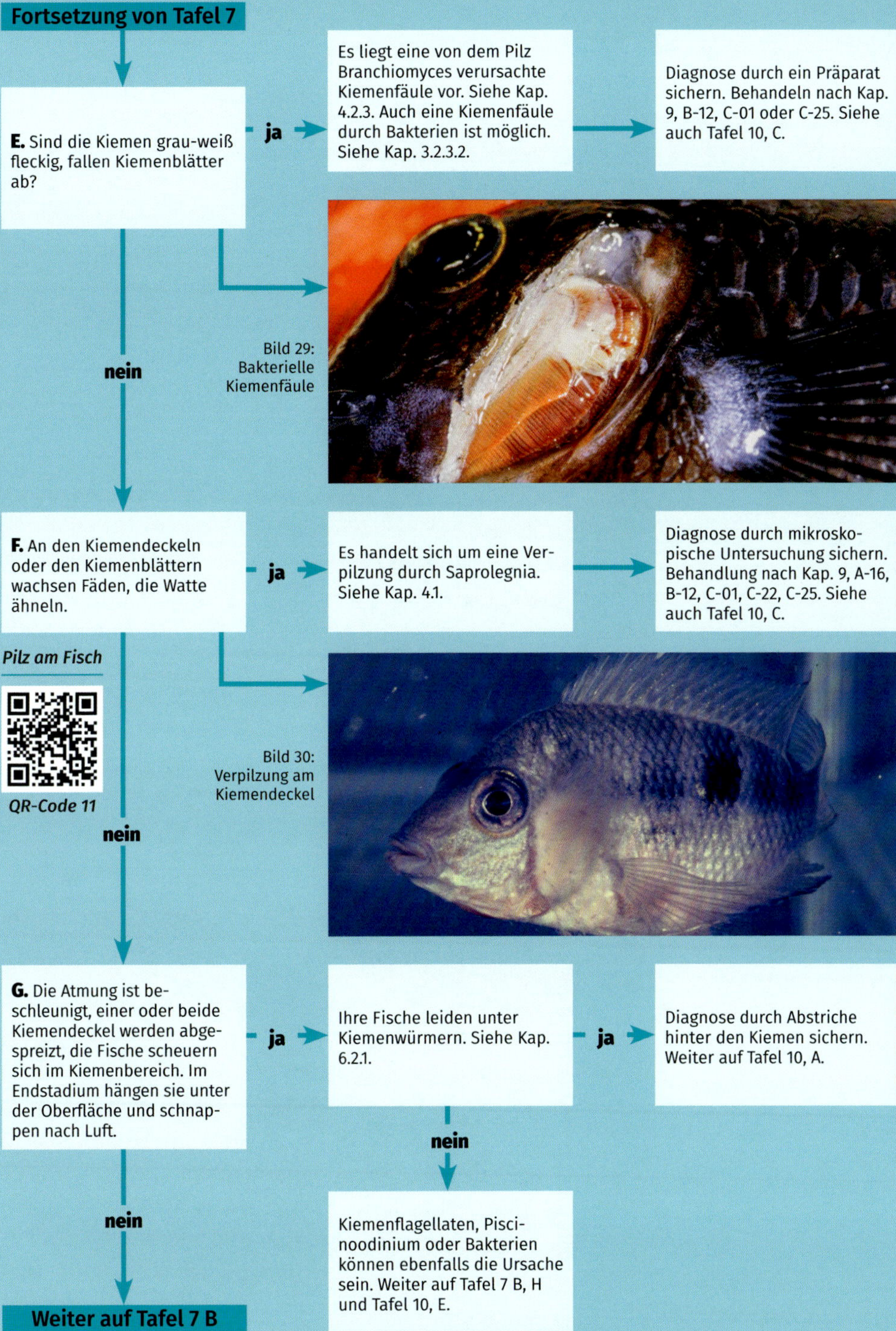

E. Sind die Kiemen grau-weiß fleckig, fallen Kiemenblätter ab?

ja → Es liegt eine von dem Pilz Branchiomyces verursachte Kiemenfäule vor. Siehe Kap. 4.2.3. Auch eine Kiemenfäule durch Bakterien ist möglich. Siehe Kap. 3.2.3.2. → Diagnose durch ein Präparat sichern. Behandeln nach Kap. 9, B-12, C-01 oder C-25. Siehe auch Tafel 10, C.

Bild 29: Bakterielle Kiemenfäule

nein ↓

F. An den Kiemendeckeln oder den Kiemenblättern wachsen Fäden, die Watte ähneln.

ja → Es handelt sich um eine Verpilzung durch Saprolegnia. Siehe Kap. 4.1. → Diagnose durch mikroskopische Untersuchung sichern. Behandlung nach Kap. 9, A-16, B-12, C-01, C-22, C-25. Siehe auch Tafel 10, C.

Pilz am Fisch

QR-Code 11

Bild 30: Verpilzung am Kiemendeckel

nein ↓

G. Die Atmung ist beschleunigt, einer oder beide Kiemendeckel werden abgespreizt, die Fische scheuern sich im Kiemenbereich. Im Endstadium hängen sie unter der Oberfläche und schnappen nach Luft.

ja → Ihre Fische leiden unter Kiemenwürmern. Siehe Kap. 6.2.1. → ja → Diagnose durch Abstriche hinter den Kiemen sichern. Weiter auf Tafel 10, A.

nein ↓ Kiemenflagellaten, Piscinoodinium oder Bakterien können ebenfalls die Ursache sein. Weiter auf Tafel 7 B, H und Tafel 10, E.

nein ↓

Weiter auf Tafel 7 B

Fortsetzung von Tafel 7 A

H. Die Kiemenblätter weisen eine schwache bis weißliche Trübung der Oberfläche auf.

ja → Hier handelt es sich um einen Befall durch Einzeller, Saugwürmer oder Oodinium. Siehe Kap. 6.2.1. und 5.1.1.

→ Abstrich von der Rückseite des Kiemendeckels nehmen. Weiter auf den Tafeln 5 und 10.

nein ↓

I. Auf den Kiemenblättern sitzen weiße Punkte von 0,5 bis 1,5 mm Größe, bei Meerwasserfischen bis 2 mm.

ja → Es beginnt sich eine Infektion von Ichthyophthrius oder Cryptocarion (Meerwasser) auszubreiten. Siehe Kap. 5.7.2.2.

→ Abstriche an der Innenseite des Kiemendeckels nehmen oder versuchen, einen der Punkte abzustreifen und ein Präparat anzufertigen. Weiter auf Tafel 10.

nein ↓

K. An den Kiemenblättern befinden sich kleine weiße Knötchen, die sich nicht lösen lassen.

ja → Wahrscheinlich handelt es sich um Sporozoenzysten. Siehe Kap. 5.4., 5.5. oder 5.6.

ja → Einen gerade gestorbenen Fisch sezieren und auf weitere Zysten an den Organen untersuchen. Weiter auf den Tafeln 11 und 20.

nein ↓

Es kann sich um verkapselte Metacercarien handeln. Siehe Kap. 6.3.

→ Kiemenblätter mikroskopieren. Weiter auf Tafel 20.

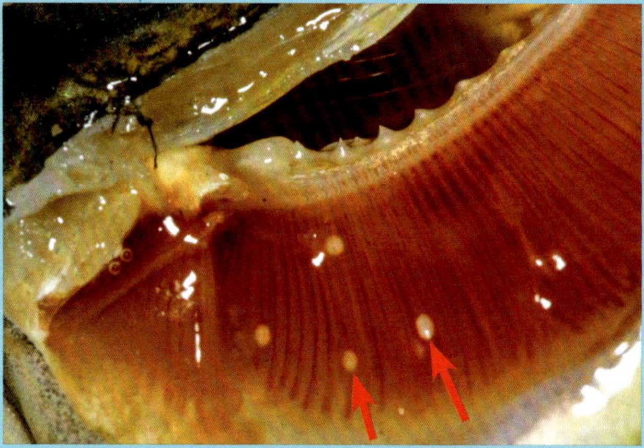

Bild 31: Metacercarienzysten an den Kiemenblättern

nein ↓

Weiter auf Tafel 7 C

Fortsetzung von Tafel 7 B

L. Die Kiemenblätter schwellen an, verschleimen und verkleben. Die Atmung ist beschleunigt.

Verschleimte Kiemen

QR-Code 12

Es kann sich um organische Wasserbelastung oder chemische Einflüsse handeln. Siehe Kap. 8.5.

ja → Wasserwechsel durchführen, über Kohle filtern. Siehe auch Tafel 7, A.

nein ↓

Sind die Fische von Kiemenwürmern befallen? Siehe Kap. 6.2.1.

ja → Absriche hinter den Kiemen nehmen. Siehe auch Tafel 7, A. Weiter auf Tafel 10.

nein ↓

Die Kiemenblätter lösen sich von der Spitze her auf. Der Knorpel bleibt etwas länger stehen. Siehe Kap. 3.2.3.2.

→ Bakterielle Kiemenfäule wird mitunter von Columnaris-Bakterien hervorgerufen. Tritt oft sekundär bei Kiemenwurmbefall auf. Siehe Kap. 3.2.5., 3.2.3.2., und 6.2.1. Weiter auf den Tafeln 10 und 21. Die Ursache kann auch belastetes Wasser sein. Siehe Kap. 1.3. und 8.5.

nein ↓

M. Die Kiemenblätter sind sehr hell, blass-rosa verfärbt.

ja → Es handelt sich um eine Blutarmut, die oft nach schwerem Schaden an der Niere oder bei Befall des Blutes durch Flagellaten auftritt.

→ Fisch sezieren, Niere und Blut untersuchen. Weiter auf Tafel 17.

Bild 32: Blasse Kiemen bei Anämie (Blutarmut)

nein ↓

Weiter auf Tafel 8

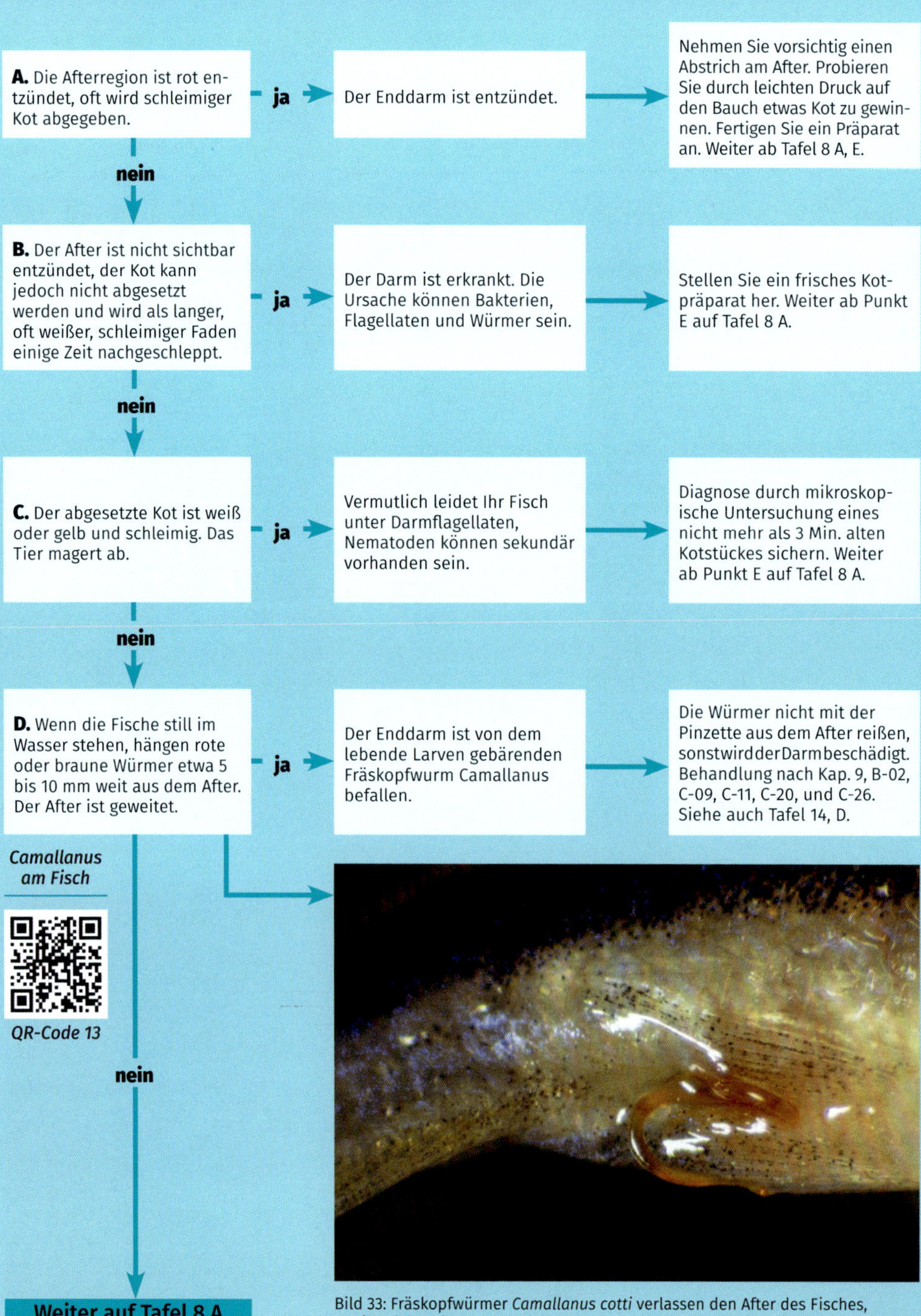

Bild 33: Fräskopfwürmer *Camallanus cotti* verlassen den After des Fisches, um ihre lebenden Larven abzusetzen

Fortsetzung von Tafel 8

Sie haben ein Kotpräparat hergestellt und mikroskopieren es nun mit 50- bis 100-facher Vergrößerung. Das Vorgehen ist in Kapitel 11.4. beschrieben.

E. Im Kot befinden sich Würmer, die sehr klein und dünn sind. Länge: 1 mm bis wesentlich kleiner.

ja → Es handelt sich um die Larven lebend gebärender Nematoden. Siehe Kap. 6.5.2.1., Bild 396. → Die Behandlung erfolgt nach Kap. 9, B-02, C-09, C-20 oder C-26. Siehe Tafel 8, D und 14, D.

nein ↓

F. Im Präparat befinden sich weißliche, länglich platte, fast rechteckige Segmente mit vielfältiger innerer Struktur. Oft hängen mehrere Segmente hintereinander. Es befinden sich länglich-runde Eier im Kot (eliptische), Bild 34.

ja → Ihr Fisch hat Bandwürmer. Diese treten bei Wildfängen, Aquarien- und Teichfischen auf. Siehe Kap. 6.2.2.2. und Bild 364 und 365. → Die Bekämpfung kann im Bad oder über die Fütterung von Medizinalfutter erfolgen (Kap. 9, C-34). Mitunter müssen die Zwischenwirte nach Kap. 9, C-10, C-23 oder C-34 bekämpft werden. Siehe Tafel 14, B.

nein ↓

G. Im Kot befinden sich unzählige spindelförmige Eier mit spitzen Enden. Manche Arten haben lange Fäden an den Enden.

ja → Die Eier stammen von Kratzern. Meist nur bei Freilandfischen. Die Fische infizieren sich durch Bachflohkrebse, die Kratzerlarven tragen. Siehe Kap. 6.4. → Die Behandlung ist bald zu beginnen, da die Würmer den Darm verletzen. Behandlung nach Kap. 9, C-09, C-29, C-32 oder C-34. Flohkrebse (Futter) drei Tage lang tiefgefrieren. Siehe Tafel 14, A.

nein ↓

H. Es befinden sich längliche Eier mit sektkorkenartigen Deckeln im Kot. Vergrößerung 200- bis 400-fach.

ja → Der Fisch beherbergt einen oder mehrere Capillaria-Würmer. Siehe Kap. 6.5. und 2.4. → Die Würmer vermehren sich nur langsam. Behandlung erfolgt nach Kap. 9, C-09, C-10, C-11, C-20, C-23 oder im Futter B-04. Siehe Tafel 14 A, E.

nein ↓

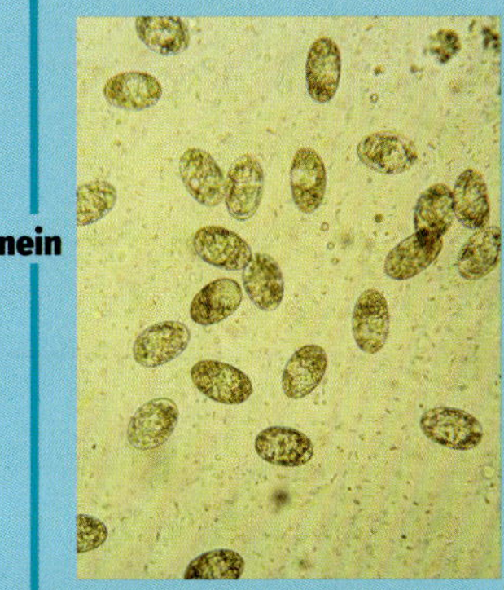

Bild 34: Bandwurmeier im Kotausstrich (Vergr. 90:1)

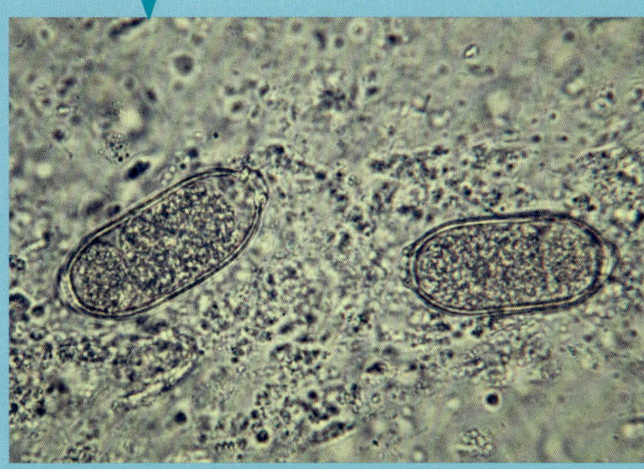

Bild 35: Eier von Capillaria im Kotpräparat. Größe: 50 bis 60 µm

Weiter auf Tafel 8b.

Fortsetzung von Tafel 8 A

I. Im Koptpräparat sind bei 200- bis 600-facher Vergrößerung länglich ovale Eier von 120 µm Länge zu sehen. Sie haben oft lange Fäden an den Enden.

ja → Sie haben Eier der Nematodenordnung Oxyuridae gefunden. Sie wurden bisher nur bei Diskusfischen nachgewiesen. Siehe Kap. 6.5.1.2. → Die Behandlung mit Medizinalfutter B-04 nach Methode Kap. 9, C-09, C-11 oder C-20 ist erfolgreich. Siehe auch Tafel 14 A, G.

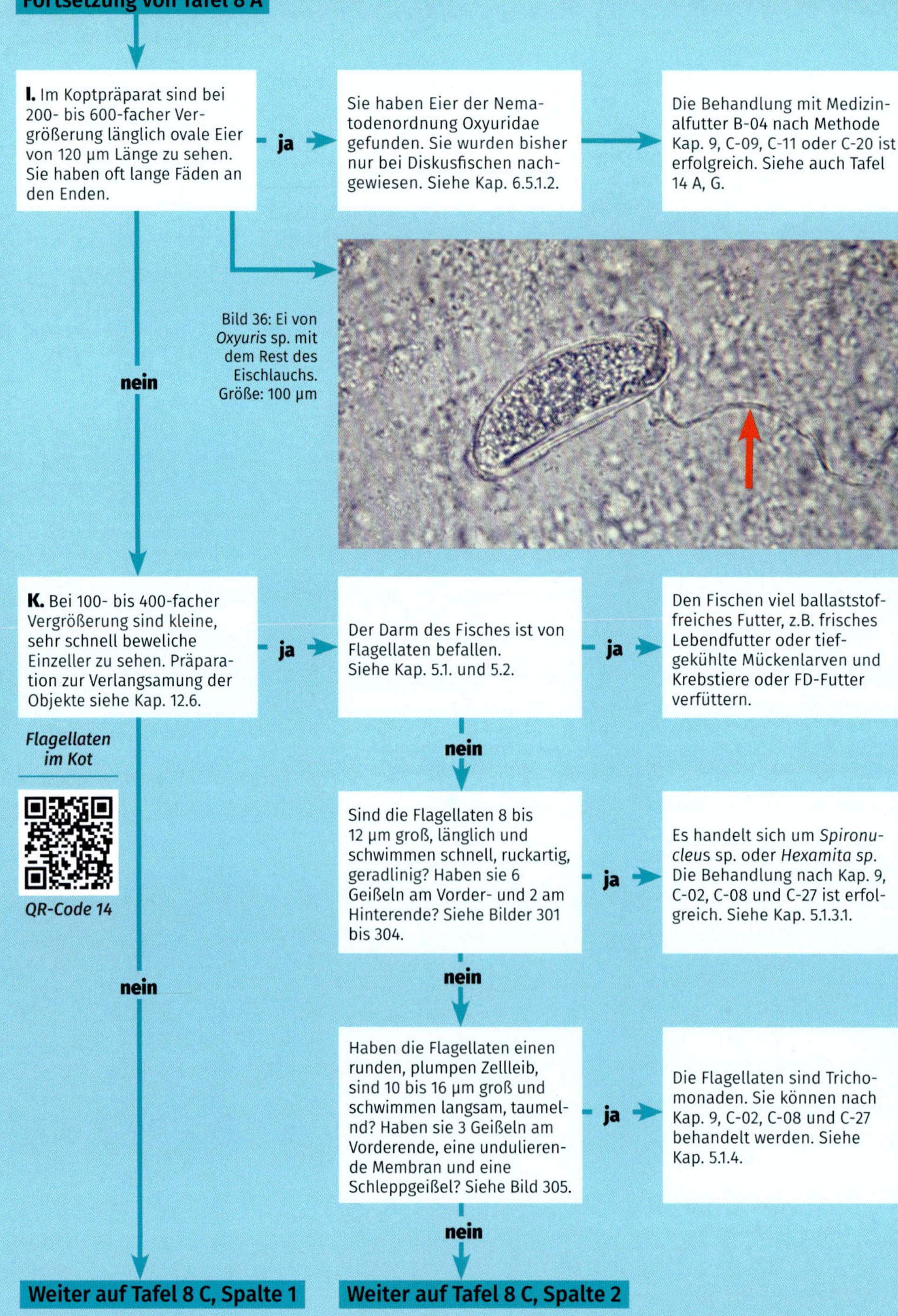

Bild 36: Ei von *Oxyuris* sp. mit dem Rest des Eischlauchs. Größe: 100 µm

nein ↓

K. Bei 100- bis 400-facher Vergrößerung sind kleine, sehr schnell beweliche Einzeller zu sehen. Präparation zur Verlangsamung der Objekte siehe Kap. 12.6.

ja → Der Darm des Fisches ist von Flagellaten befallen. Siehe Kap. 5.1. und 5.2.

ja → Den Fischen viel ballaststoffreiches Futter, z.B. frisches Lebendfutter oder tiefgekühlte Mückenlarven und Krebstiere oder FD-Futter verfüttern.

nein ↓

Sind die Flagellaten 8 bis 12 µm groß, länglich und schwimmen schnell, ruckartig, geradlinig? Haben sie 6 Geißeln am Vorder- und 2 am Hinterende? Siehe Bilder 301 bis 304.

ja → Es handelt sich um *Spironucleus* sp. oder *Hexamita sp.* Die Behandlung nach Kap. 9, C-02, C-08 und C-27 ist erfolgreich. Siehe Kap. 5.1.3.1.

nein ↓

Haben die Flagellaten einen runden, plumpen Zellleib, sind 10 bis 16 µm groß und schwimmen langsam, taumelnd? Haben sie 3 Geißeln am Vorderende, eine undulierende Membran und eine Schleppgeißel? Siehe Bild 305.

ja → Die Flagellaten sind Trichomonaden. Sie können nach Kap. 9, C-02, C-08 und C-27 behandelt werden. Siehe Kap. 5.1.4.

Flagellaten im Kot

QR-Code 14

nein (K.) ↓ **Weiter auf Tafel 8 C, Spalte 1**

nein ↓ **Weiter auf Tafel 8 C, Spalte 2**

Fortsetzung von Tafel 8 B, Spalte 2

Sehen Sie 12 bis 18 µm große Flagellaten, die sich schnell wellenlinig fortbewegen?

ja → Sieht man 2 Geißeln, von denen eine eng am Körper liegt und am Ende eine Schleppgeißel bildet? Siehe Bild 298 und 299.

ja → Es handelt sich um Flagellaten der Familie Bodonidae. Behandlung nach Kap. 9, C-02, C-08, C-27 zweimal im Abstand von 5 Tagen. Siehe Kap. 5.1.2.2.

nein → Sind die Flagellaten 16 bis 24 µm groß und haben zwei Geißeln? Ist eine Geißel am Vorderende und wird die zweite am Zellkörper entlang nach hinten geführt? Ist sie mit der Zelloberfläche durch eine undulierende Membran verbunden? Siehe Bild 294.

Cryptobia im Kot

QR-Code 15

ja → Die Flagellaten gehören der Gattung Cryptobia an. Sie können nach Kap. 9, C-02, C-08, C-27 behandelt werden, oder zweimal im Abstand von 5 Tagen. Siehe Kap. 5.1.2.2.3.

Fortsetzung von Tafel 8 B, Spalte 1

L. Im Präparat befinden sich Einzeller von 100 µm Größe. Sie sind vorn rund und haben am Hinterende eine stachelförmige Spitze. Sie sind spiralig bewimpert und drehen sich beim Schwimmen. Sie schwimmen ähnlich wie Pantoffeltiere. Siehe Bild 308.

ja → Die Fische sind von dem Diskusparasiten Protoopalina symphysodonis befallen. Wurde bisher nur bei Diskusfischen gefunden. Siehe Kap. 5.2.

→ Dieser Flagellat schädigt die Fische nur bei Massenauftreten. Behandlung mit Kap. 9, C-02, C-27. Siehe Tafel 14 A, H.

nein → **M.** Sie haben im Kot Mikroorganismen oder Würmer entdeckt, die Sie nicht unter den abgebildeten Erregern finden konnten.

ja → Wenige Minuten nach dem Ausscheiden des Kotes finden sich Mikroorganismen ein, die den Kot abbauen. Sie leben im Filter, Wasser und Bodengrund des Aquariums und sind völlig harmlos. Siehe Bilder 347 und 348 in Kap. 5.7.5. und 554 bis 570 in Kap 12.4.

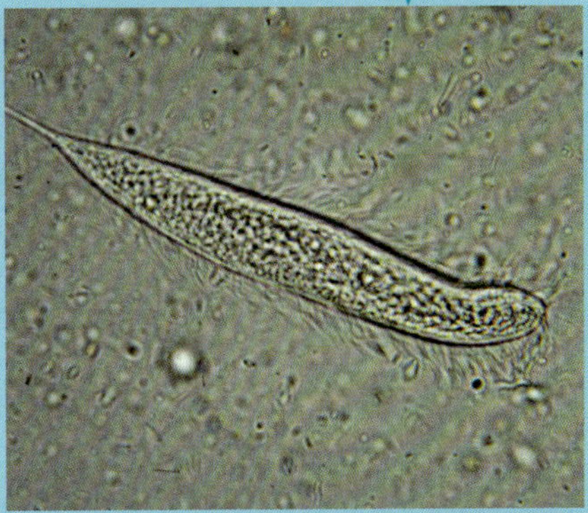

Bild 37: *Protoopalina symphysodonis* im Darminhaltspräparat. Größe 100 µm

nein → Weiter auf Tafel 9

Die folgenden Untersuchungen werden am gerade gestorbenen Fisch durchgeführt. Sie sollten Kapitel 1, 2 und 12 gelesen haben. Gehen Sie nach dem Sektionsschema von Kapitel 2 vor. Wenn Sie eine separate Blutuntersuchung durchführen möchten, gehen Sie nach Kapitel 3.3 vor. Wenn Sie gründlich arbeiten wollen, dann führen Sie die Untersuchungen nach den Tafeln 5 und 6 noch einmal durch.

Schaben Sie dazu mit einem scharfen Skalpell Schleimhaut ab und schneiden Sie Flossenstücke ab, um Präparate anzufertigen.

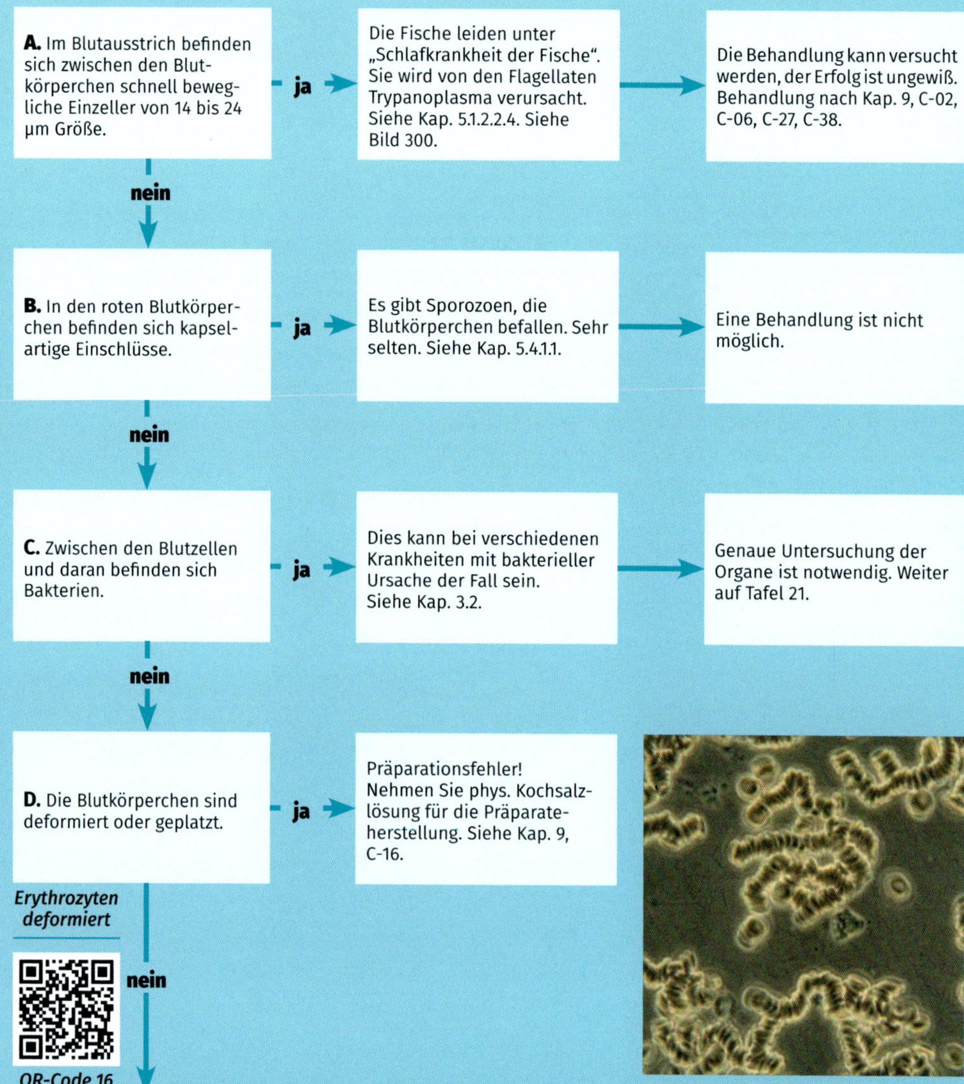

Bild 38: Rote Blutkörperchen in Geldrollenform (Präparationsfehler)

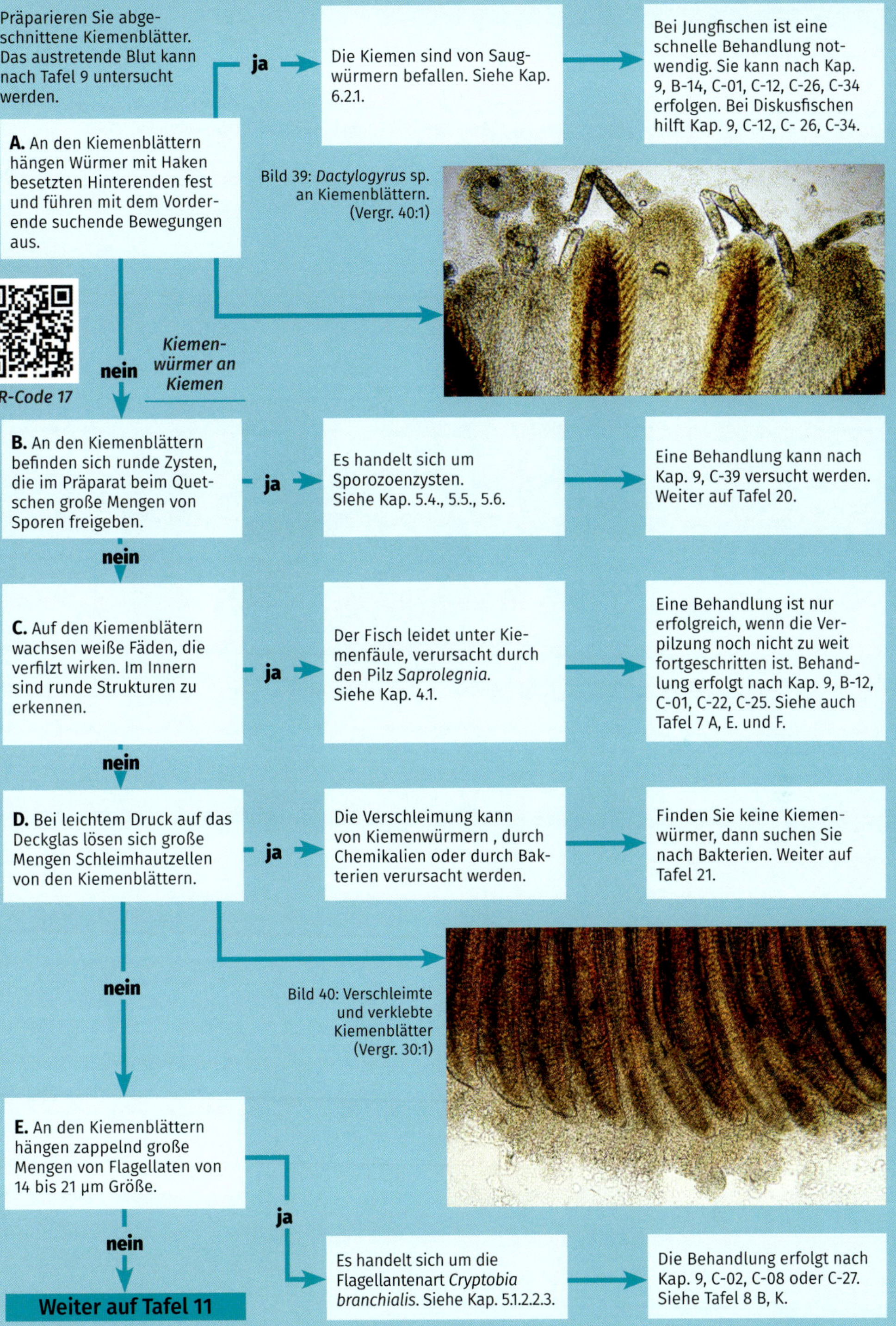

Bild 39: *Dactylogyrus* sp. an Kiemenblättern. (Vergr. 40:1)

Bild 40: Verschleimte und verklebte Kiemenblätter (Vergr. 30:1)

A. Die Leibeshöhle ist mit Flüssigkeit gefüllt. Diese läuft manchmal schon beim Aufschneiden der Bauchdecke aus.

ja → Der Fisch leidet unter Bauchwassersucht. Siehe Kap. 3.2.1. → Präparat der Flüssigkeit anfertigen und auf Blut und Bakterien untersuchen. Die Behandlung kann nach Kap. 9, A-14, A-18, A-6 oder A-02 erfolgen. Weiter auf Tafel 21.

nein ↓

B. Die Flüssigkeit in der Leibeshöhle ist gallertartig, die Organe sind zurückgebildet und der Darm ist glasig durchsichtig und enthält keine Nahrung.

ja → Auch hier handelt es sich um Bauchwassersucht. Siehe Kap. 3.2.1. → (Präparat der Flüssigkeit anfertigen …)

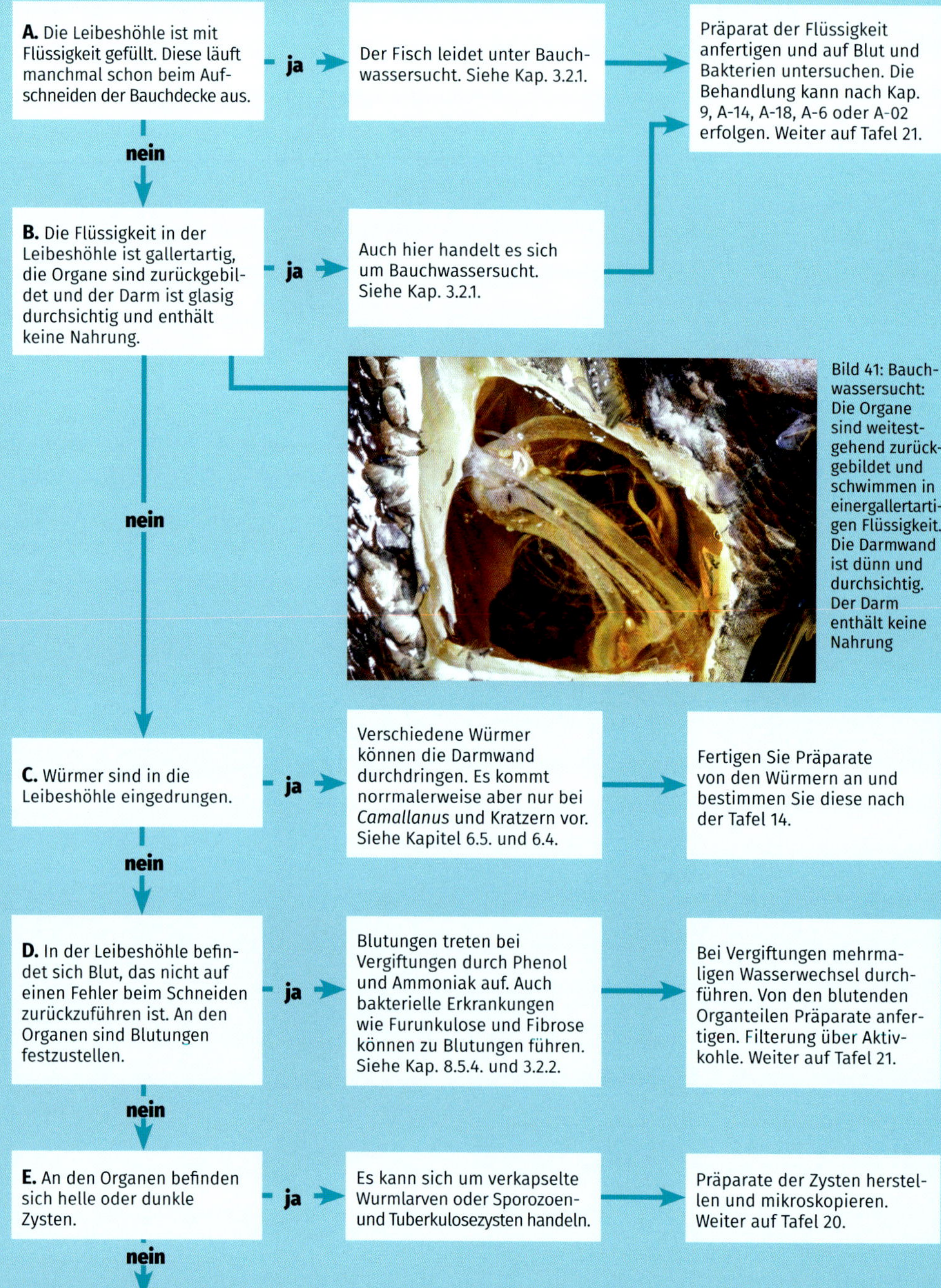

Bild 41: Bauchwassersucht: Die Organe sind weitestgehend zurückgebildet und schwimmen in einergallertartigen Flüssigkeit. Die Darmwand ist dünn und durchsichtig. Der Darm enthält keine Nahrung

nein ↓

C. Würmer sind in die Leibeshöhle eingedrungen.

ja → Verschiedene Würmer können die Darmwand durchdringen. Es kommt norrmalerweise aber nur bei *Camallanus* und Kratzern vor. Siehe Kapitel 6.5. und 6.4. → Fertigen Sie Präparate von den Würmern an und bestimmen Sie diese nach der Tafel 14.

nein ↓

D. In der Leibeshöhle befindet sich Blut, das nicht auf einen Fehler beim Schneiden zurückzuführen ist. An den Organen sind Blutungen festzustellen.

ja → Blutungen treten bei Vergiftungen durch Phenol und Ammoniak auf. Auch bakterielle Erkrankungen wie Furunkulose und Fibrose können zu Blutungen führen. Siehe Kap. 8.5.4. und 3.2.2. → Bei Vergiftungen mehrmaligen Wasserwechsel durchführen. Von den blutenden Organteilen Präparate anfertigen. Filterung über Aktivkohle. Weiter auf Tafel 21.

nein ↓

E. An den Organen befinden sich helle oder dunkle Zysten.

ja → Es kann sich um verkapselte Wurmlarven oder Sporozoen- und Tuberkulosezysten handeln. → Präparate der Zysten herstellen und mikroskopieren. Weiter auf Tafel 20.

nein ↓

Weiter auf Tafel 11 A

Fortsetzung von Tafel 11

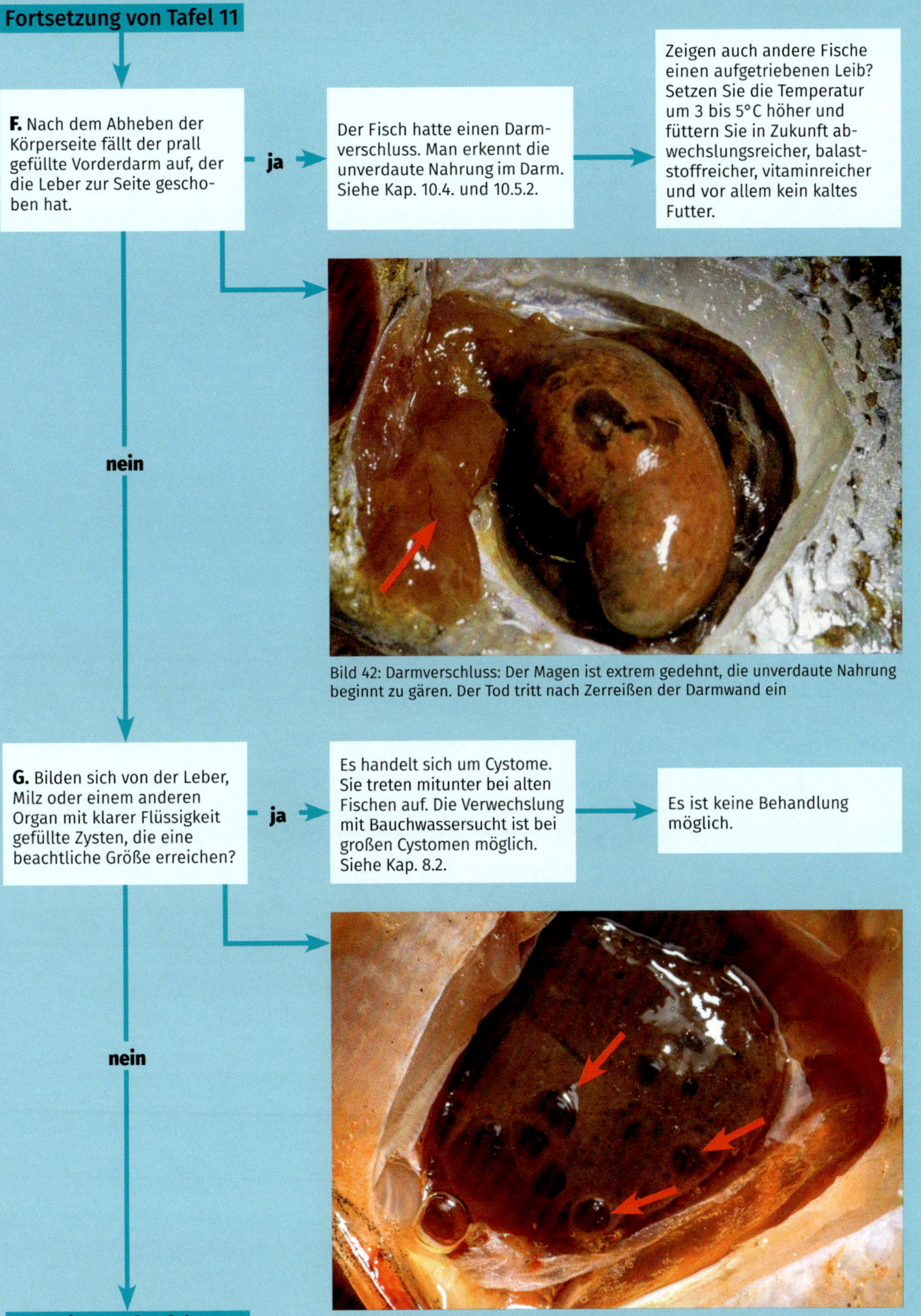

F. Nach dem Abheben der Körperseite fällt der prall gefüllte Vorderdarm auf, der die Leber zur Seite geschoben hat.

ja → Der Fisch hatte einen Darmverschluss. Man erkennt die unverdaute Nahrung im Darm. Siehe Kap. 10.4. und 10.5.2.

→ Zeigen auch andere Fische einen aufgetriebenen Leib? Setzen Sie die Temperatur um 3 bis 5°C höher und füttern Sie in Zukunft abwechslungsreicher, balaststoffreicher, vitaminreicher und vor allem kein kaltes Futter.

Bild 42: Darmverschluss: Der Magen ist extrem gedehnt, die unverdaute Nahrung beginnt zu gären. Der Tod tritt nach Zerreißen der Darmwand ein

nein

G. Bilden sich von der Leber, Milz oder einem anderen Organ mit klarer Flüssigkeit gefüllte Zysten, die eine beachtliche Größe erreichen?

ja → Es handelt sich um Cystome. Sie treten mitunter bei alten Fischen auf. Die Verwechslung mit Bauchwassersucht ist bei großen Cystomen möglich. Siehe Kap. 8.2.

→ Es ist keine Behandlung möglich.

Bild 43: Mehrere kleinere Cystome sind zu sehen.

nein

Weiter auf Tafel 12

Beim Herausnehmen der Organe werden Leber, Galle, Darm und Milz meist zusammen herausgenommen. Organe, die Sie nicht sofort präparieren, legen Sie in ein kleines Schälchen mit physikalischer Kochsalzlösung ein. Die Bilder 164 bis 166 zeigen, wie eine gesunde Leber aussieht.

A. Die Leber ist braun oder gelb verfärbt. Im Präparat befinden sich unzählige helle Fettkügelchen mit dunklem Rand. Siehe Bild 167.

ja → Die Ursache kann Bauchwassersucht oder Leberverfettung durch falsche Ernährung oder bakterielle Infektion sein. Siehe Kap. 10.5. und 3.2.1. → Den Fischen ist beste Wasserqualität und abwechslungsreiche Fütterung zu bieten. Fertigen Sie Präparate an und untersuchen Sie diese nach Tafel 21 auf Bakterien.

nein ↓

B. Die Leber ist grünlich verfärbt.

ja → Der Gallenkanal ist entzündet oder verstopft. Die Gallenflüssigkeit staut sich in die Leber und verfärbt diese. → Es dürfte sich um einen Einzelfall handeln. Die Behandlung der anderen Fische ist nicht notwendig.

nein ↓

C. An und in der Leber befinden sich kleine Zysten von 1 bis 1,5 mm Größe.

ja → Es handelt sich wahrscheinlich um Metacercarienzysten. Siehe Kap. 6.3. → Präparat anfertigen und Diagnose durch mikroskopische Untersuchung sichern. Weiter auf Tafel 20.

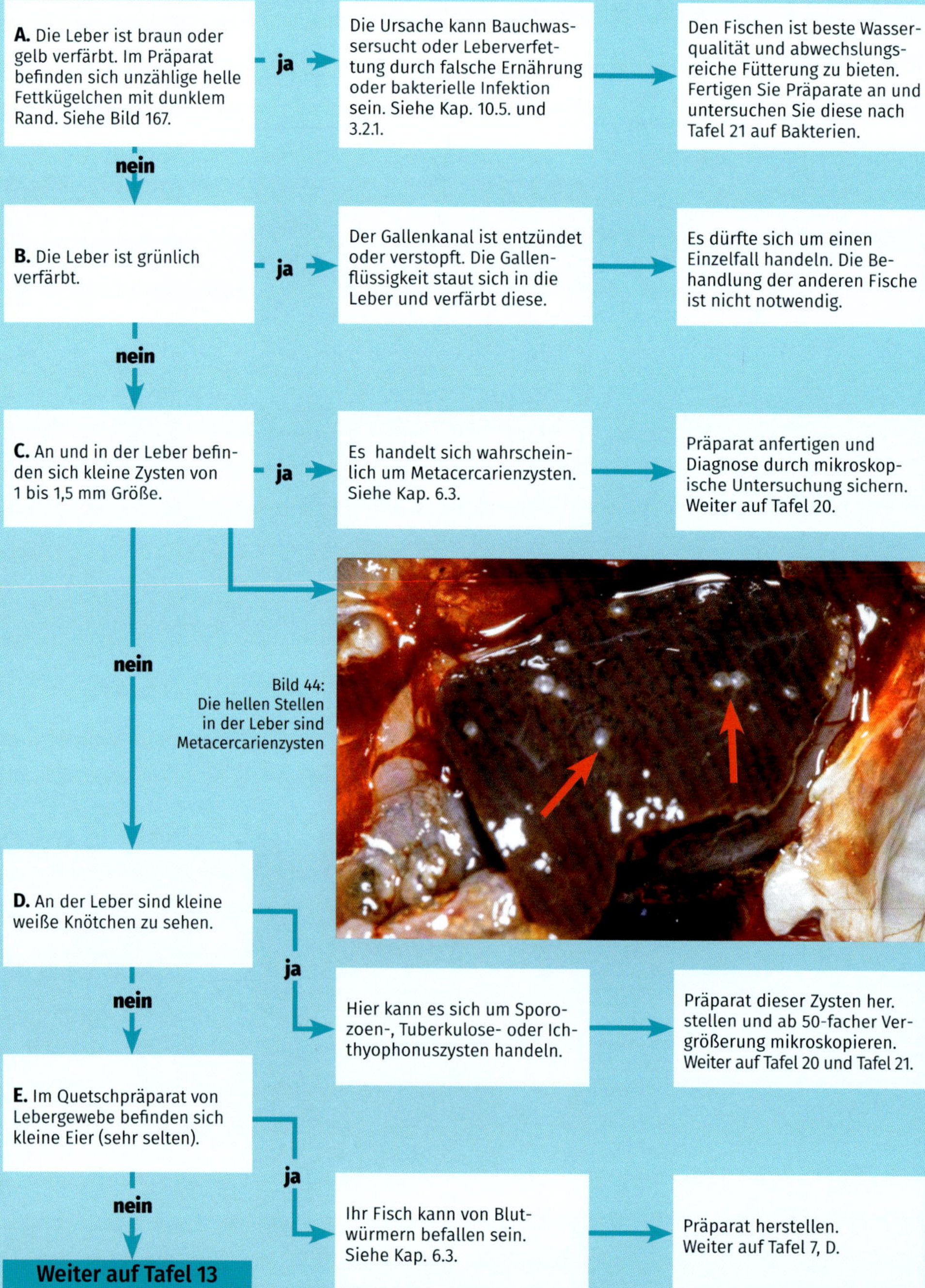

Bild 44: Die hellen Stellen in der Leber sind Metacercarienzysten

nein ↓

D. An der Leber sind kleine weiße Knötchen zu sehen.

ja → Hier kann es sich um Sporozoen-, Tuberkulose- oder Ichthyophonuszysten handeln. → Präparat dieser Zysten her. stellen und ab 50-facher Vergrößerung mikroskopieren. Weiter auf Tafel 20 und Tafel 21.

nein ↓

E. Im Quetschpräparat von Lebergewebe befinden sich kleine Eier (sehr selten).

ja → Ihr Fisch kann von Blutwürmern befallen sein. Siehe Kap. 6.3. → Präparat herstellen. Weiter auf Tafel 7, D.

nein ↓

Weiter auf Tafel 13

Nehmen Sie die Gallenblase vorsichtig heraus und stechen Sie sie erst auf dem Objektträger an.

A. In der Gallenflüssigkeit schwimmen schnelle Einzeller.
- **ja** → Es können Flagellaten verschiedener Gattungen sein. Siehe Kap. 5.1.2. und 5.2. → Zur Bestimmung muss ein neues Präparat hergestellt werden. Zur Bestimmung weiter auf Tafel 8 B, K.
- **nein** → B.

B. In der Gallenflüssigkeit und an der Wand der Gallenblase befinden sich große Mengen von Bakterien.
- **ja** → Eine starke Infektion durch Bakterien kann bei Bauchwassersucht und anderen Erkrankungen auftreten. Siehe Kap. 3.2. → Stellen Sie Präparate auch von anderen Organen her. Weiter auf Tafel 21.
- **nein** → C.

C. In der Gallenblase befinden sich größere Objekte und kleine kristalline Gebilde.
- **ja** → Es handelt sich um die Vorstufe von Gallensteinen. → Die anderen Organe müssen untersucht werden. Die Kristalle sind nicht die Ursache der Krankheit.
- **nein** → D.

D. In der Gallenblase befinden sich lange dünne Würmer.
- **ja** → Die Galle ist mit Capillaria infiziert. → Siehe Kapitel 6.5.3.1.
- **nein** → Weiter auf Tafel 14

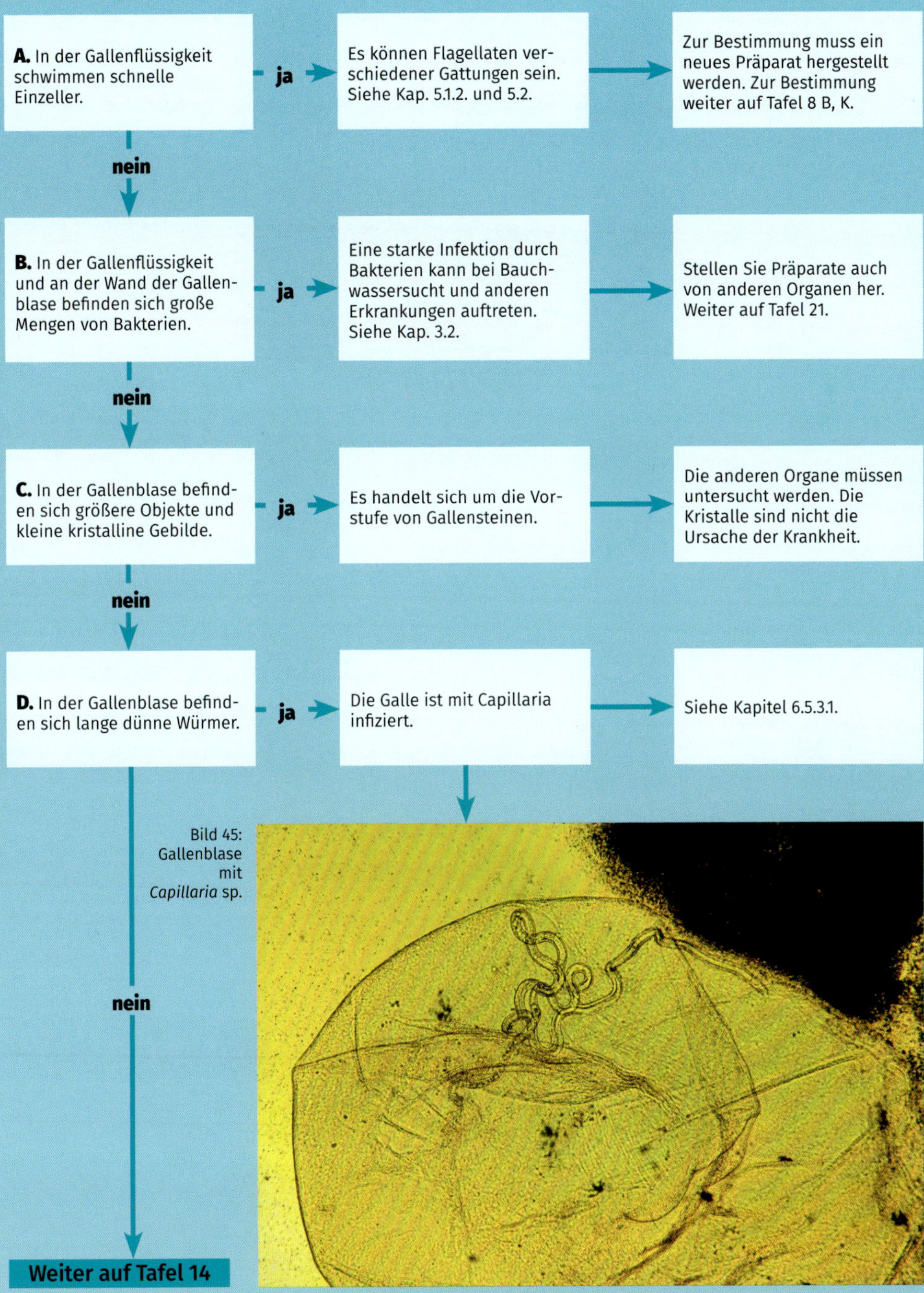

Bild 45: Gallenblase mit *Capillaria* sp.

Weiter auf Tafel 14

Sie haben Präparate von der Darmwand und dem Darminhalt hergestellt. Beurteilen Sie diese nach der nun folgenden Tafel.

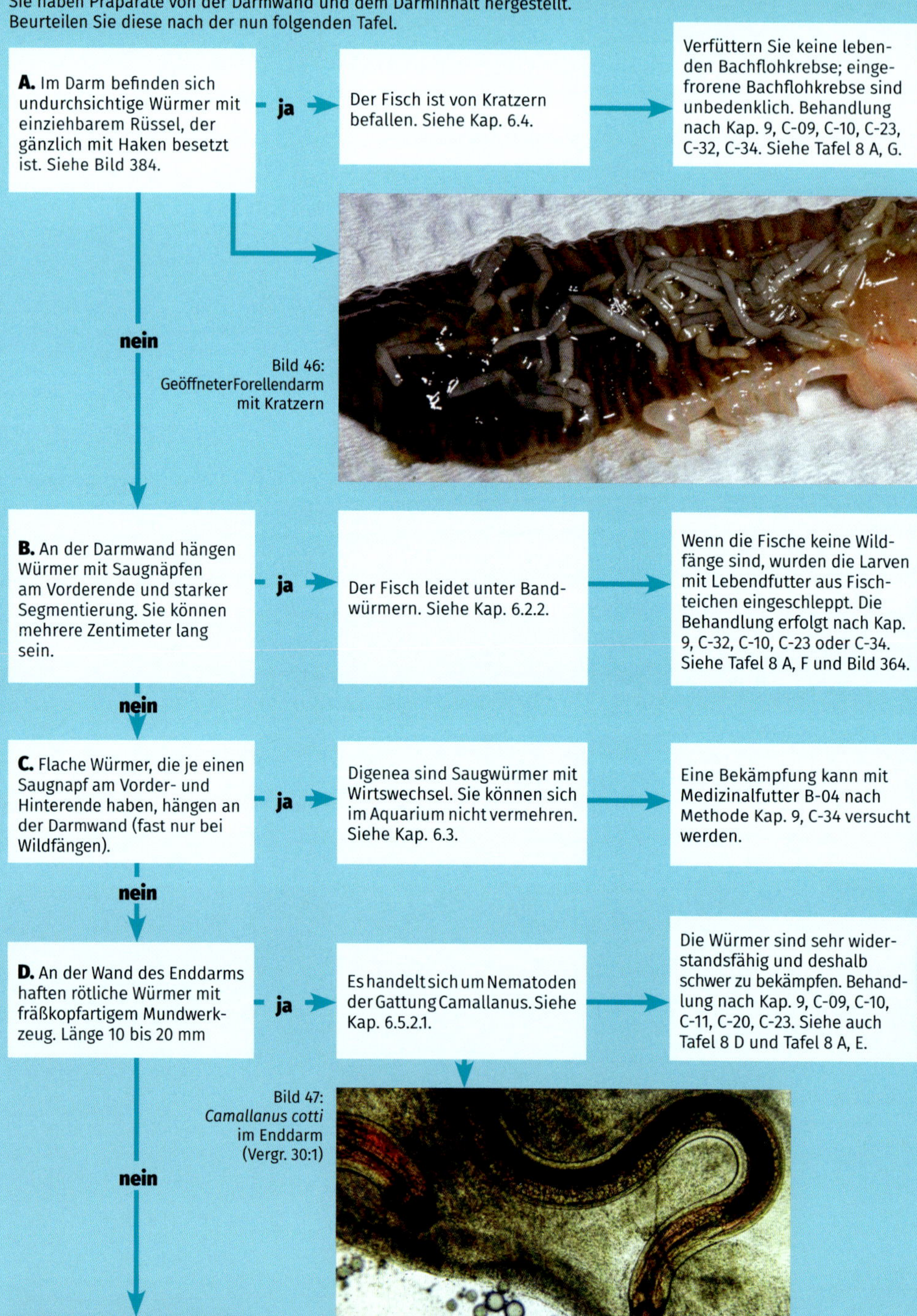

A. Im Darm befinden sich undurchsichtige Würmer mit einziehbarem Rüssel, der gänzlich mit Haken besetzt ist. Siehe Bild 384.

ja → Der Fisch ist von Kratzern befallen. Siehe Kap. 6.4. → Verfüttern Sie keine lebenden Bachflohkrebse; eingefrorene Bachflohkrebse sind unbedenklich. Behandlung nach Kap. 9, C-09, C-10, C-23, C-32, C-34. Siehe Tafel 8 A, G.

Bild 46: GeöffneterForellendarm mit Kratzern

nein ↓

B. An der Darmwand hängen Würmer mit Saugnäpfen am Vorderende und starker Segmentierung. Sie können mehrere Zentimeter lang sein.

ja → Der Fisch leidet unter Bandwürmern. Siehe Kap. 6.2.2. → Wenn die Fische keine Wildfänge sind, wurden die Larven mit Lebendfutter aus Fischteichen eingeschleppt. Die Behandlung erfolgt nach Kap. 9, C-32, C-10, C-23 oder C-34. Siehe Tafel 8 A, F und Bild 364.

nein ↓

C. Flache Würmer, die je einen Saugnapf am Vorder- und Hinterende haben, hängen an der Darmwand (fast nur bei Wildfängen).

ja → Digenea sind Saugwürmer mit Wirtswechsel. Sie können sich im Aquarium nicht vermehren. Siehe Kap. 6.3. → Eine Bekämpfung kann mit Medizinalfutter B-04 nach Methode Kap. 9, C-34 versucht werden.

nein ↓

D. An der Wand des Enddarms haften rötliche Würmer mit fräßkopfartigem Mundwerkzeug. Länge 10 bis 20 mm

ja → Es handelt sich um Nematoden der Gattung Camallanus. Siehe Kap. 6.5.2.1. → Die Würmer sind sehr widerstandsfähig und deshalb schwer zu bekämpfen. Behandlung nach Kap. 9, C-09, C-10, C-11, C-20, C-23. Siehe auch Tafel 8 D und Tafel 8 A, E.

Bild 47: *Camallanus cotti* im Enddarm (Vergr. 30:1)

nein ↓

Weiter auf Tafel 14 A

Fortsetzung von Tafel 14

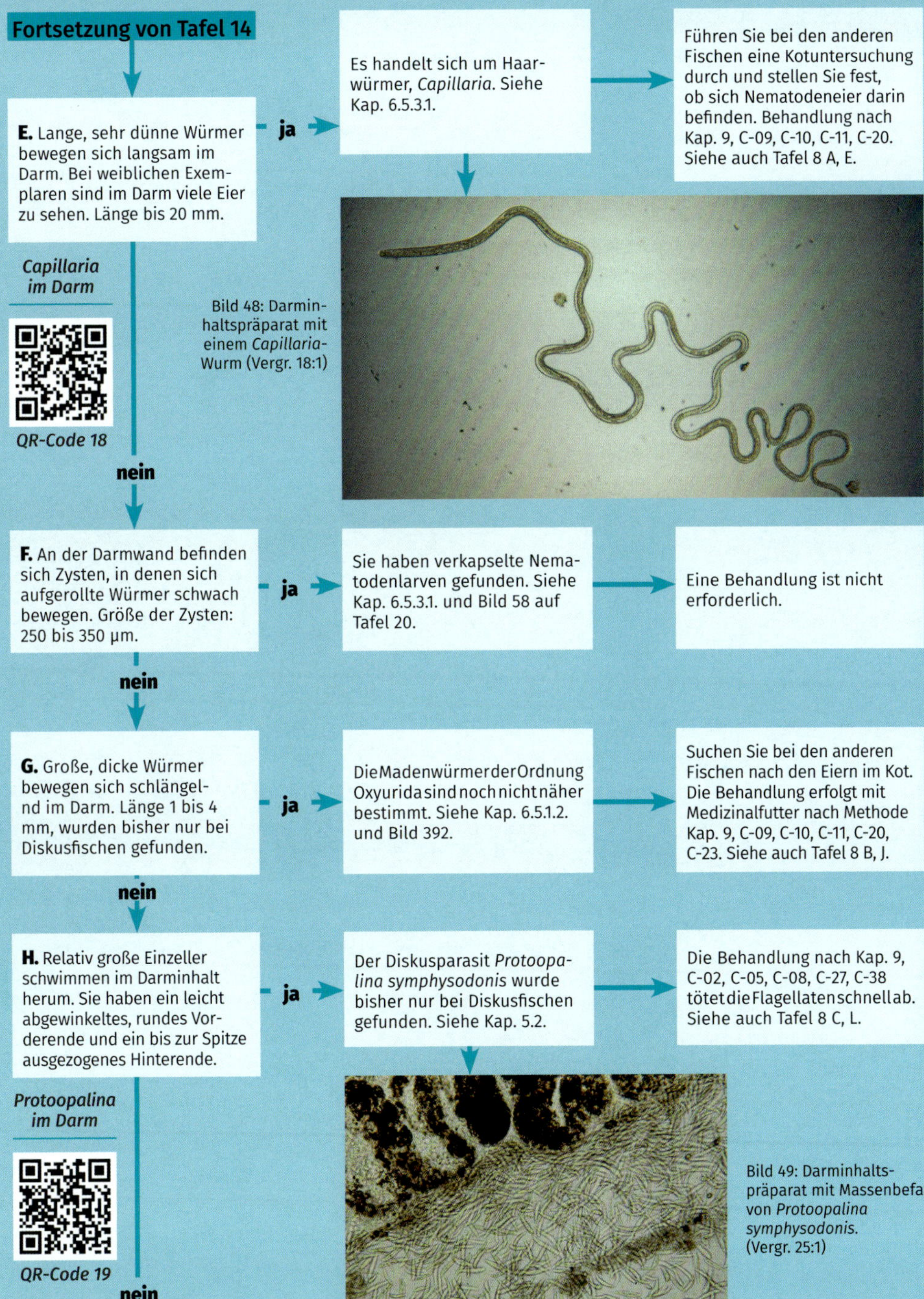

E. Lange, sehr dünne Würmer bewegen sich langsam im Darm. Bei weiblichen Exemplaren sind im Darm viele Eier zu sehen. Länge bis 20 mm.

ja → Es handelt sich um Haarwürmer, *Capillaria*. Siehe Kap. 6.5.3.1. → Führen Sie bei den anderen Fischen eine Kotuntersuchung durch und stellen Sie fest, ob sich Nematodeneier darin befinden. Behandlung nach Kap. 9, C-09, C-10, C-11, C-20. Siehe auch Tafel 8 A, E.

Capillaria im Darm

QR-Code 18

Bild 48: Darminhaltspräparat mit einem *Capillaria*-Wurm (Vergr. 18:1)

nein

F. An der Darmwand befinden sich Zysten, in denen sich aufgerollte Würmer schwach bewegen. Größe der Zysten: 250 bis 350 µm.

ja → Sie haben verkapselte Nematodenlarven gefunden. Siehe Kap. 6.5.3.1. und Bild 58 auf Tafel 20. → Eine Behandlung ist nicht erforderlich.

nein

G. Große, dicke Würmer bewegen sich schlängelnd im Darm. Länge 1 bis 4 mm, wurden bisher nur bei Diskusfischen gefunden.

ja → Die Madenwürmer der Ordnung Oxyurida sind noch nicht näher bestimmt. Siehe Kap. 6.5.1.2. und Bild 392. → Suchen Sie bei den anderen Fischen nach den Eiern im Kot. Die Behandlung erfolgt mit Medizinalfutter nach Methode Kap. 9, C-09, C-10, C-11, C-20, C-23. Siehe auch Tafel 8 B, J.

nein

H. Relativ große Einzeller schwimmen im Darminhalt herum. Sie haben ein leicht abgewinkeltes, rundes Vorderende und ein bis zur Spitze ausgezogenes Hinterende.

ja → Der Diskusparasit *Protoopalina symphysodonis* wurde bisher nur bei Diskusfischen gefunden. Siehe Kap. 5.2. → Die Behandlung nach Kap. 9, C-02, C-05, C-08, C-27, C-38 tötet die Flagellaten schnell ab. Siehe auch Tafel 8 C, L.

Protoopalina im Darm

QR-Code 19

Bild 49: Darminhaltspräparat mit Massenbefall von *Protoopalina symphysodonis*. (Vergr. 25:1)

nein

Weiter auf Tafel 14 B

Fortsetzung von Tafel 14 A

I. Im Darm bewegen sich sehr schnell winzige Einzeller. Größe: 8 bis 24 µm.

ja → Der Darm des Fisches ist von Flagellaten befallen. Siehe Kap. 5.1.2. → Die genaue Bestimmung der Flagellaten können Sie nach Tafel 8 B, K. durchführen.

nein

K. In der Darmwand befinden sich längliche Zysten mit deutlich sichtbarem Kern.

ja → Es handelt sich um Fremdkörper, die in die Darmwand eingedrungen sind und dort verkapselt wurden (z. B. Borsten von *Cyclops*). → Geben Sie Fischen, die eine derartige Nahrung nicht gewöhnt sind, keine Cyclops oder Krill.

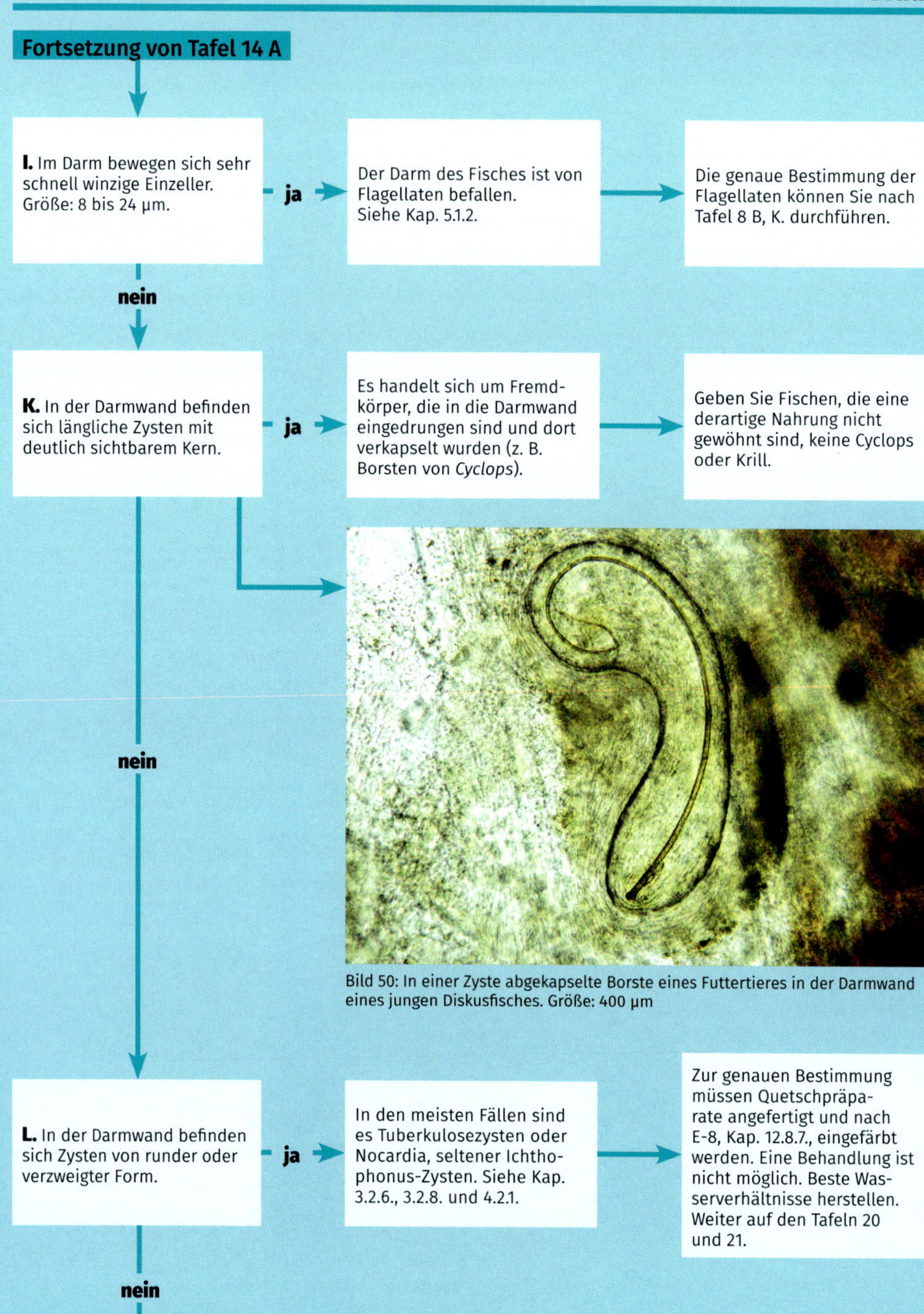

Bild 50: In einer Zyste abgekapselte Borste eines Futtertieres in der Darmwand eines jungen Diskusfisches. Größe: 400 µm

nein

L. In der Darmwand befinden sich Zysten von runder oder verzweigter Form.

ja → In den meisten Fällen sind es Tuberkulosezysten oder Nocardia, seltener Ichthophonus-Zysten. Siehe Kap. 3.2.6., 3.2.8. und 4.2.1. → Zur genauen Bestimmung müssen Quetschpräparate angefertigt und nach E-8, Kap. 12.8.7., eingefärbt werden. Eine Behandlung ist nicht möglich. Beste Wasserverhältnisse herstellen. Weiter auf den Tafeln 20 und 21.

nein

Weiter auf Tafel 14 C

Fortsetzung von Tafel 14 B

M. In der Darmwand sind Stellen zu sehen, die rot verfärbt sind. Bei hoher Vergrößerung können Blutkörperchen erkannt werden.

ja → Hier handelt es sich um eine Darmentzündung oder eine Vibriose. Siehe Kap. 10.5.3. und 3.2.4. → Fertigen Sie ein Präparat an und untersuchen Sie es auf Bakterien. Weiter auf Tafel 21.

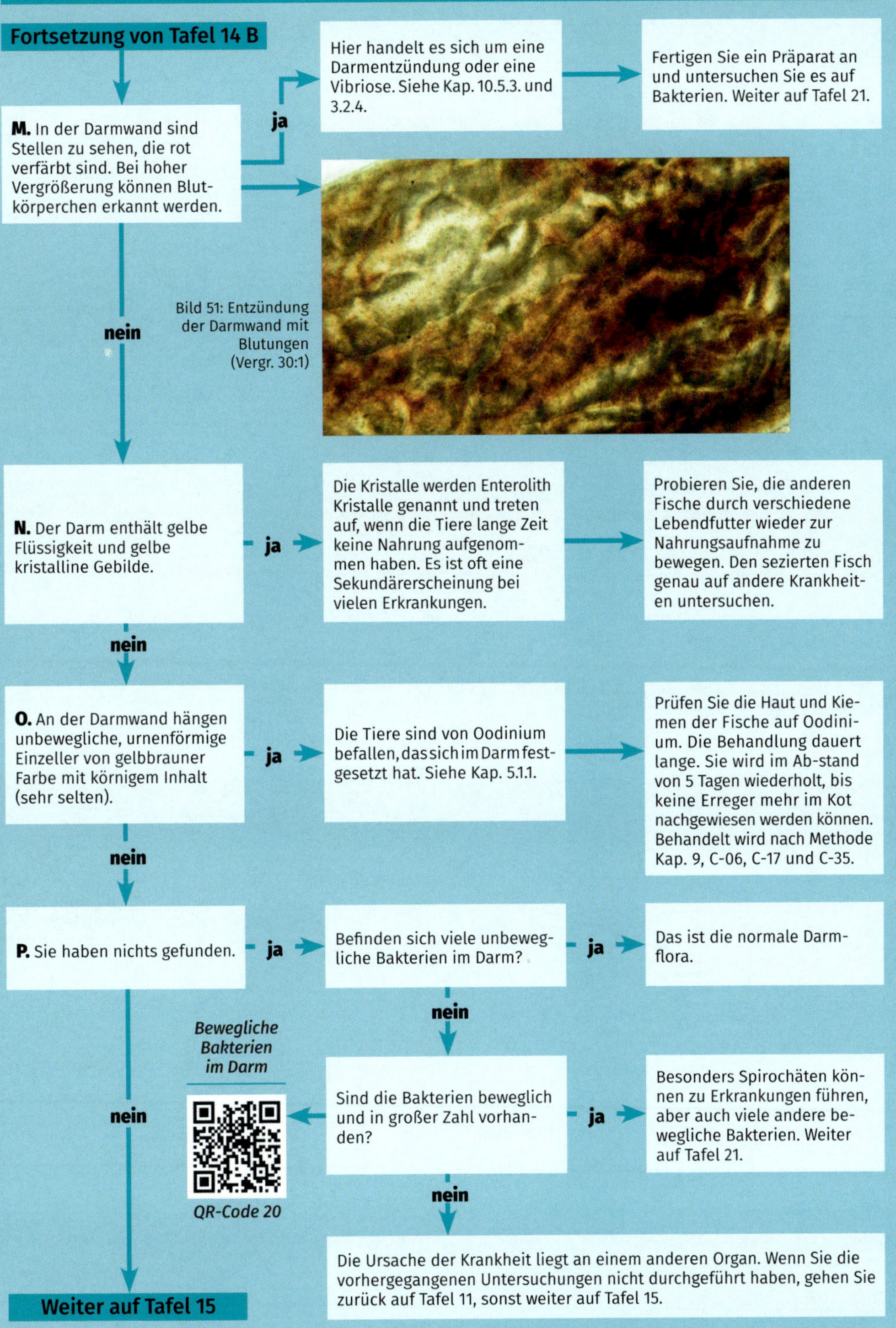

Bild 51: Entzündung der Darmwand mit Blutungen (Vergr. 30:1)

nein ↓

N. Der Darm enthält gelbe Flüssigkeit und gelbe kristalline Gebilde.

ja → Die Kristalle werden Enterolith Kristalle genannt und treten auf, wenn die Tiere lange Zeit keine Nahrung aufgenommen haben. Es ist oft eine Sekundärerscheinung bei vielen Erkrankungen. → Probieren Sie, die anderen Fische durch verschiedene Lebendfutter wieder zur Nahrungsaufnahme zu bewegen. Den sezierten Fisch genau auf andere Krankheiten untersuchen.

nein ↓

O. An der Darmwand hängen unbewegliche, urnenförmige Einzeller von gelbbrauner Farbe mit körnigem Inhalt (sehr selten).

ja → Die Tiere sind von Oodinium befallen, das sich im Darm festgesetzt hat. Siehe Kap. 5.1.1. → Prüfen Sie die Haut und Kiemen der Fische auf Oodinium. Die Behandlung dauert lange. Sie wird im Ab-stand von 5 Tagen wiederholt, bis keine Erreger mehr im Kot nachgewiesen werden können. Behandelt wird nach Methode Kap. 9, C-06, C-17 und C-35.

nein ↓

P. Sie haben nichts gefunden.

ja → Befinden sich viele unbewegliche Bakterien im Darm? **ja** → Das ist die normale Darmflora.

nein ↓

Sind die Bakterien beweglich und in großer Zahl vorhanden? **ja** → Besonders Spirochäten können zu Erkrankungen führen, aber auch viele andere bewegliche Bakterien. Weiter auf Tafel 21.

← *Bewegliche Bakterien im Darm* (*QR-Code 20*)

nein ↓

Die Ursache der Krankheit liegt an einem anderen Organ. Wenn Sie die vorhergegangenen Untersuchungen nicht durchgeführt haben, gehen Sie zurück auf Tafel 11, sonst weiter auf Tafel 15.

nein ↓

Weiter auf Tafel 15

A. An der Oberfläche und im Innern der Milz befinden sich weiße Knötchen.

ja → Es kann sich um Metacercarien, Ichthyophonus- oder um Tuberkulosezysten handeln. Siehe Kap. 3.2.6. und Kap. 4.2.1. → Präparate der Zyste anfertigen und nach Tafel 20 und 21 unterscheiden. Eine Behandlung ist nicht möglich.

nein ↓

B. In der Herzwand befinden sich kleine Knötchen.

ja → Es kann sich um Metacercarien, Ichthyophonus- oder um Tuberkulosezysten handeln. (siehe oben)

nein ↓

C. Ab 400-facher Vergrößerung sind Bakterien im Quetschpräparat der Milz zu sehen.

ja → In der Milz sind bei Infektionen die Erreger oft zuerst zu finden. → Fertigen Sie Präparate an und untersuchen Sie nach Tafel 21.

nein ↓

D. In den Geschlechtsorganen treten Blutungen auf.

ja → Möglicherweise befindet sich ein Giftstoff im Wasser. Siehe Kap. 8.5. → Prüfen Sie das Wasser auf Nitrit und Ammoniak. Untersuchen Sie auch die anderen Organe. Vergleiche Tafeln 1, 5, 6 und 7.

nein ↓

E. Die Eier sind zu einem Klumpen verklebt.

ja → Der Fisch leidet unter Laichverhärtung. → Das Tier konnte nicht ablaichen. Entweder ist das Biotop nicht in Ordnung oder es fand keinen Partner.

nein ↓

F. In den Geschlechtsorganen befinden sich Zysten von einem durchschnittlichen Durchmesser von 10 mm.

ja → Die Tiere leiden unter einer Microspora-Infektion. Siehe Kap. 5.5. Siehe Bilder 316 bis 319. → Eine Behandlung nach Kap. 9, C-39 kann erfolgreich sein. Weiter auf Tafel 20.

nein ↓

Weiter auf Tafel 16

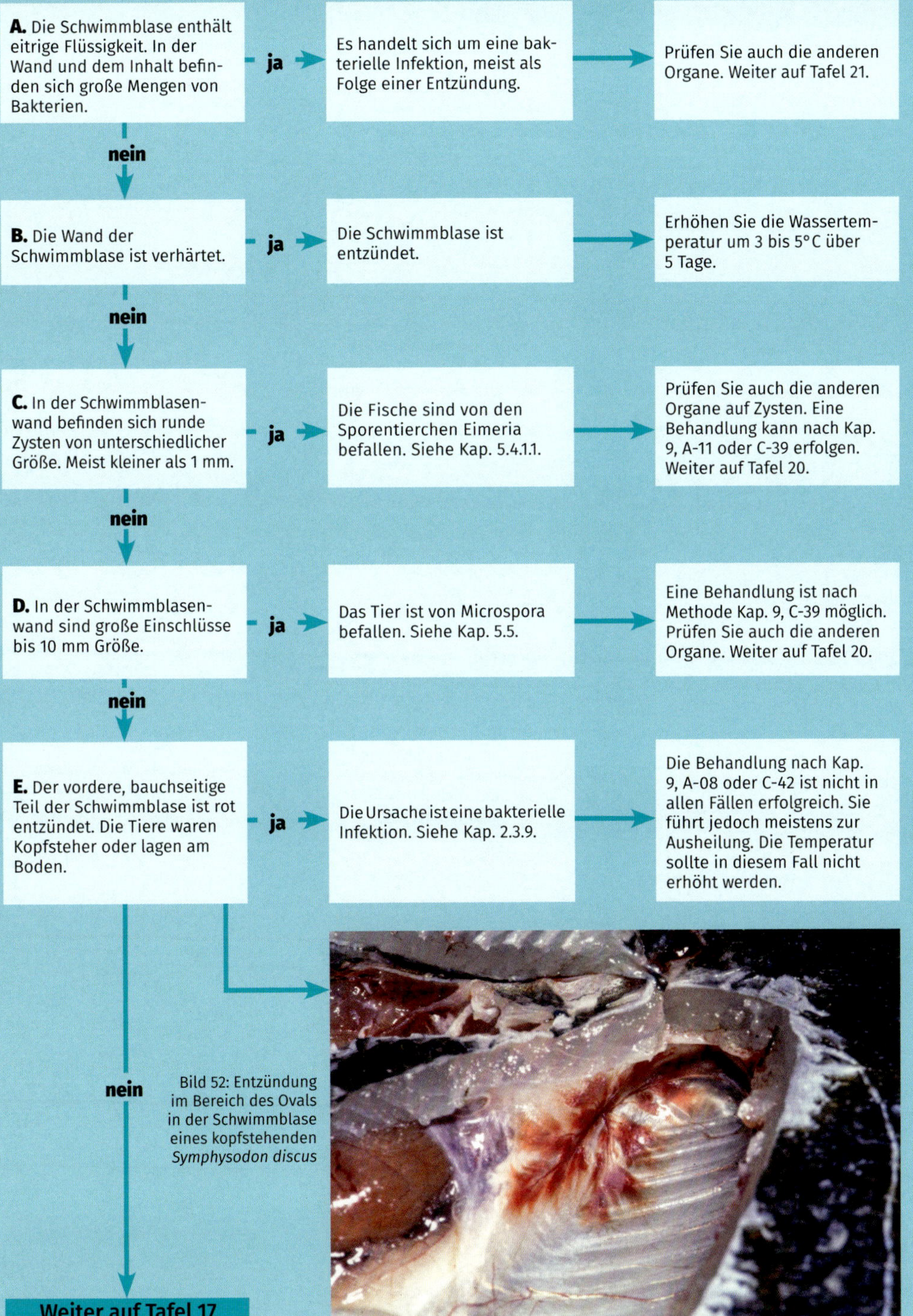

Bild 52: Entzündung im Bereich des Ovals in der Schwimmblase eines kopfstehenden *Symphysodon discus*

A. Am Quetschpräparat des Nierengewebes befinden sich kleine, bewegliche Einzeller.

ja → Es handelt sich um Flagellaten, die über das Blut in die Niere gelangt sind. Siehe Kap. 5.1.2.2.3. und 5.1.2.2.4.

→ Da Sie Darm und Galle schon überprüft haben, sind Ihnen die Flagellaten schon bekannt. Die anderen Fische sind mit Sicherheit auch infiziert, deswegen ist eine schnelle Behandlung erforderlich. Kap. 9, Methode A-14, C-02, C-08, C-27.

nein ↓

B. Im Gewebe befinden sich große Mengen Bakterien. Manchmal treten auch Blutungen auf.

ja → Wenn Bakterien in die Niere eingedrungen sind, ist sicher auch der übrige Organismus befallen.

→ Überprüfen Sie auch Milz und Leber. Weiter auf Tafel 21. Siehe auch Tafel 7. Kap. 9, Methode C-37 und A-01, A-04, A-14, A-15, A-11, A-18, A-17.

nein ↓

C. Im Gewebe der Niere befinden sich Zysten unterschiedlicher Größe.

ja → Manchmal sind Tuberkulose- und Ichthyophonus-Zysten in der Niere zu finden. Siehe Kap. 3.2.6. und 4.2.1.

→ Zur genauen Bestimmung gehen Sie bitte auf Tafel 20 und 21. Eine Behandlung ist nicht möglich.

nein ↓

D. In den Nierenkanälen befinden sich Kristalle und Einschlüsse.

ja → An die Kristalle lagern sich oft organische Stoffe an, sodass mehrschichtige Gebilde entstehen, die Nierensteine. Nephricalcinose. Siehe Kap. 2.7. und 10.11.01.

→ Es gibt mehrere Ursachen, die bei Fischen zu Nierensteinen führen. Es können z.B. Medikamente und Kalk in der Niere auskristallisieren.

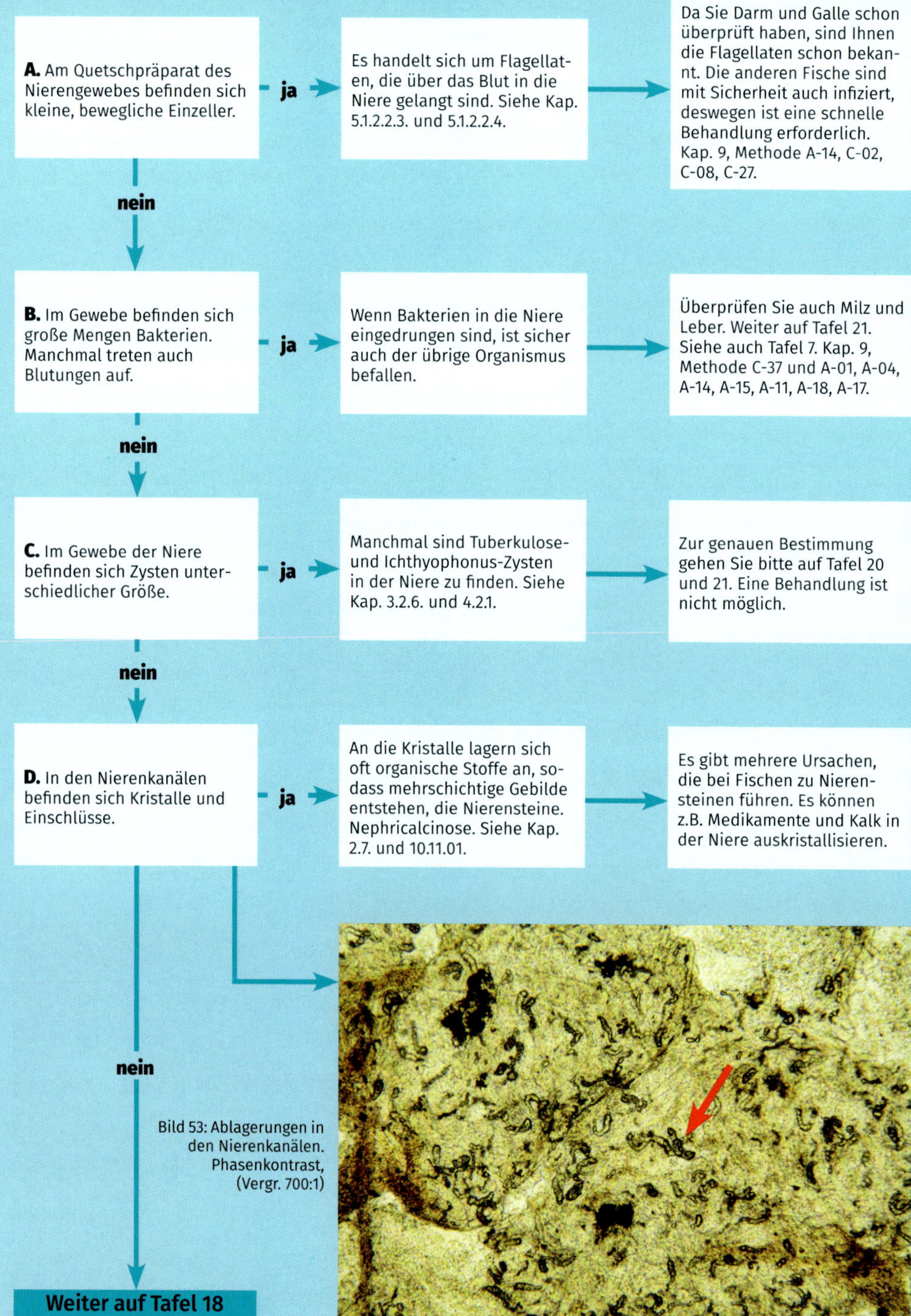

Bild 53: Ablagerungen in den Nierenkanälen. Phasenkontrast, (Vergr. 700:1)

nein ↓

Weiter auf Tafel 18

A. Im Quetschpräparat der Gehirnmasse befinden sich Zysten unterschiedlicher Größe mit dunklem Inhalt. – ja →

B. Manchmal sind auch nur dichtere, kontrastreichere Stellen im Quetschpräparat des Gehirns festzustellen. – ja →

Vermutlich handelt es sich um Tuberkulosezysten. Siehe Kap. 3.2.6. → Fertigen Sie Doppelquetschpräparate an und untersuchen Sie diese nach Tafel 21.

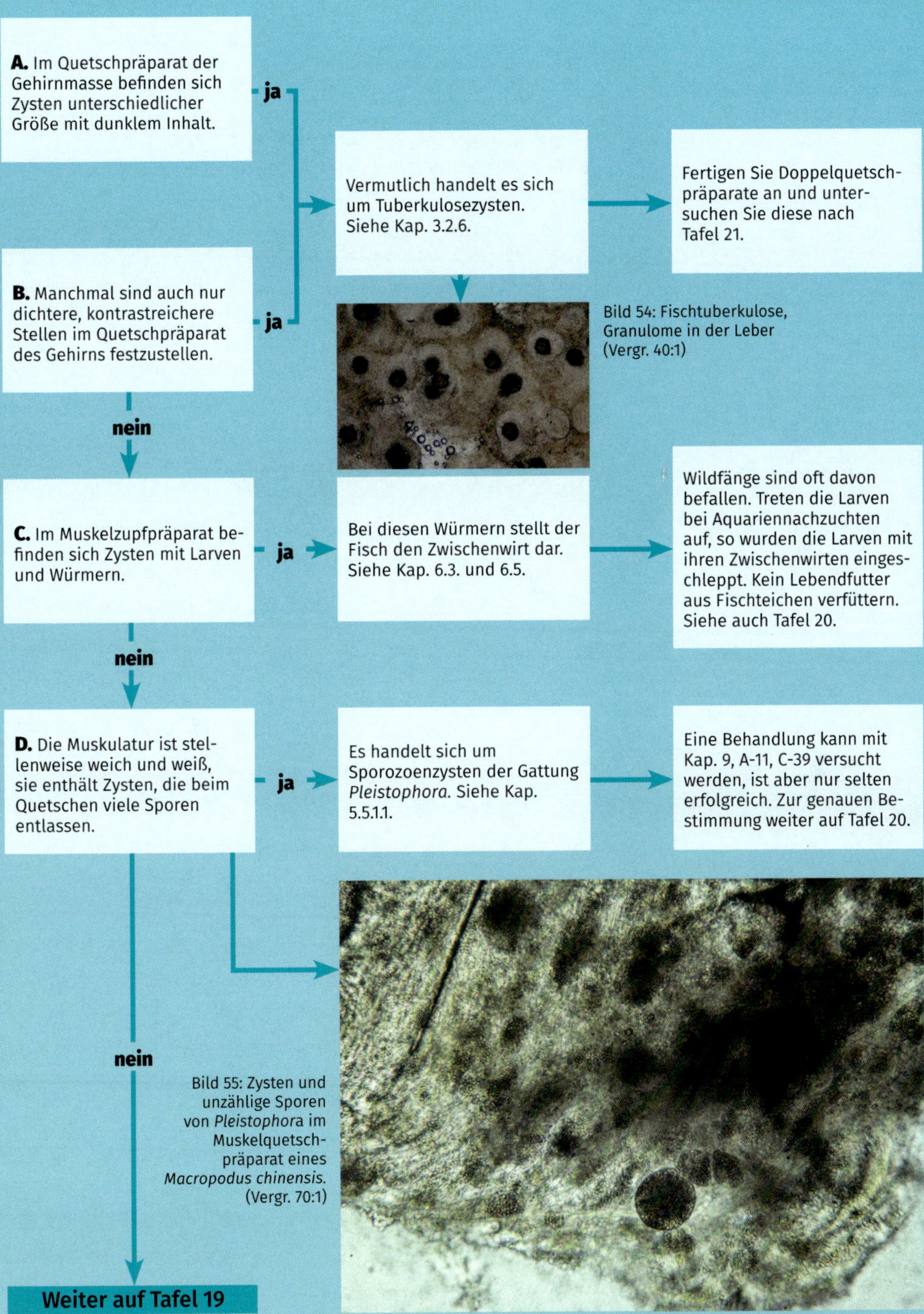

Bild 54: Fischtuberkulose, Granulome in der Leber (Vergr. 40:1)

nein ↓

C. Im Muskelzupfpräparat befinden sich Zysten mit Larven und Würmern. – ja → Bei diesen Würmern stellt der Fisch den Zwischenwirt dar. Siehe Kap. 6.3. und 6.5. → Wildfänge sind oft davon befallen. Treten die Larven bei Aquariennachzuchten auf, so wurden die Larven mit ihren Zwischenwirten eingeschleppt. Kein Lebendfutter aus Fischteichen verfüttern. Siehe auch Tafel 20.

nein ↓

D. Die Muskulatur ist stellenweise weich und weiß, sie enthält Zysten, die beim Quetschen viele Sporen entlassen. – ja → Es handelt sich um Sporozoenzysten der Gattung *Pleistophora*. Siehe Kap. 5.5.1.1. → Eine Behandlung kann mit Kap. 9, A-11, C-39 versucht werden, ist aber nur selten erfolgreich. Zur genauen Bestimmung weiter auf Tafel 20.

Bild 55: Zysten und unzählige Sporen von *Pleistophora* im Muskelquetschpräparat eines *Macropodus chinensis.* (Vergr. 70:1)

nein ↓

Weiter auf Tafel 19

A. Die Eier eines Geleges werden erst trübe, dann weiß. Die weißen Eier verpilzen schließlich.

ja → Die Eier sind durch äußere Einflüsse abgestorben. Meist befinden sich Einzeller und Bakterien im Wasser, die die Eier angreifen. Später überzieht der Pilz *Saprolegnia* die abgestorbenen Eier.

→ Zunächst ist das Laichsubstrat zu desinfizieren. (s. Kap. 9 Methode D-05, D-06, D-03) und ein Desinfektionsmittel dem Wasser zuzugeben (s. Kap. 9, B-12, C-01, C-25). Führt dies zu keinem Erfolg, muss das ganze Becken gründlich desinfiziert werden.

nein ↓

B. Bei der jungen Brut ist der Dottersack vergrößert, manchmal treten Blutungen auf. Die Larven sterben nach kurzer Zeit.

ja → Die Brut ist von der Dotterblasenwassersucht befallen. Sie tritt meist nur bei Teichfischen auf.

→ Es ist keine Behandlung möglich.

nein ↓

C. Auf der Oberfläche der Fischeier befinden sich stäbchenförmige Bakterien.

ja → Die Eier sind von Bakterien befallen.

↓ Das Gelege nach dem Ablaichen nach Methode C-12 im Kurzbad desinfizieren.

↓ Bei Gelegen im Aquarium mit Phytomed Catappa nach Methode B-10, B-12 behandeln.

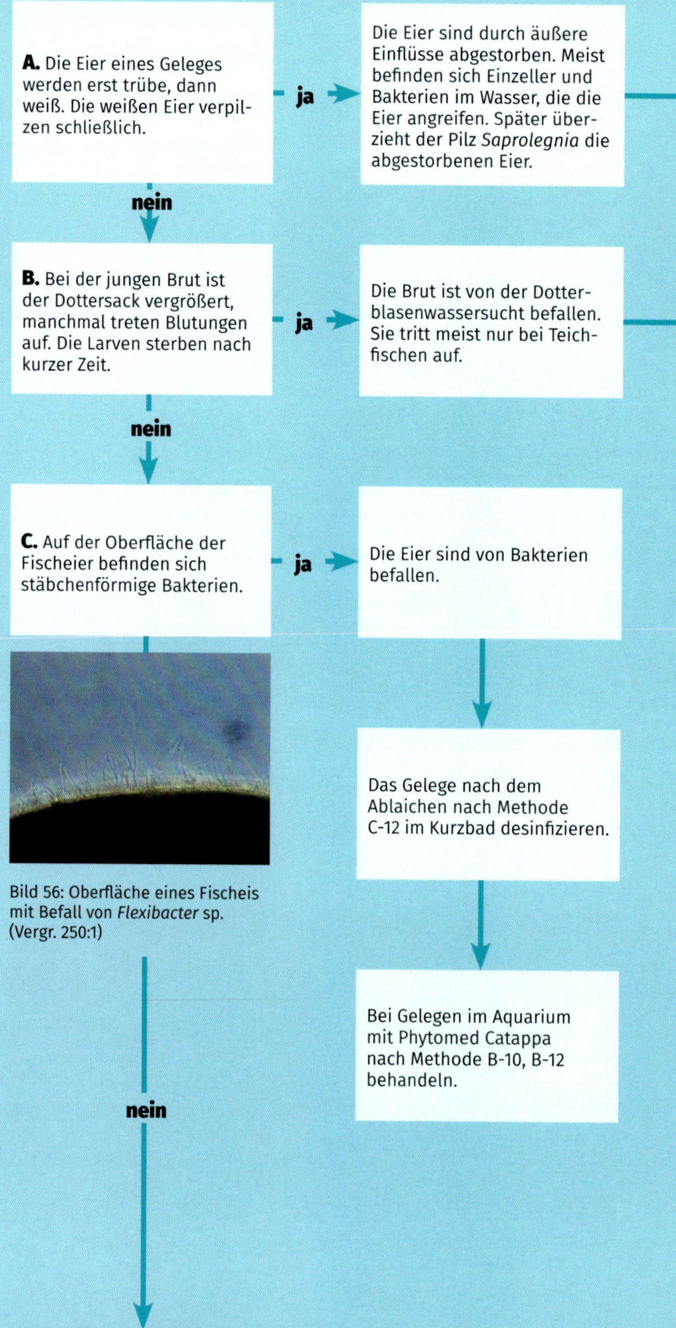

Bild 56: Oberfläche eines Fischeis mit Befall von *Flexibacter* sp. (Vergr. 250:1)

nein ↓

Weiter auf Tafel 20

Sie wurden auf diese Tafel verwiesen, weil Sie aus Organen, Haut und Flossen Zysten isoliert haben und nun die Ursache ergründen möchten. Fertigen Sie ein Präparat der Zysten an, ohne sie zu zerquetschen.

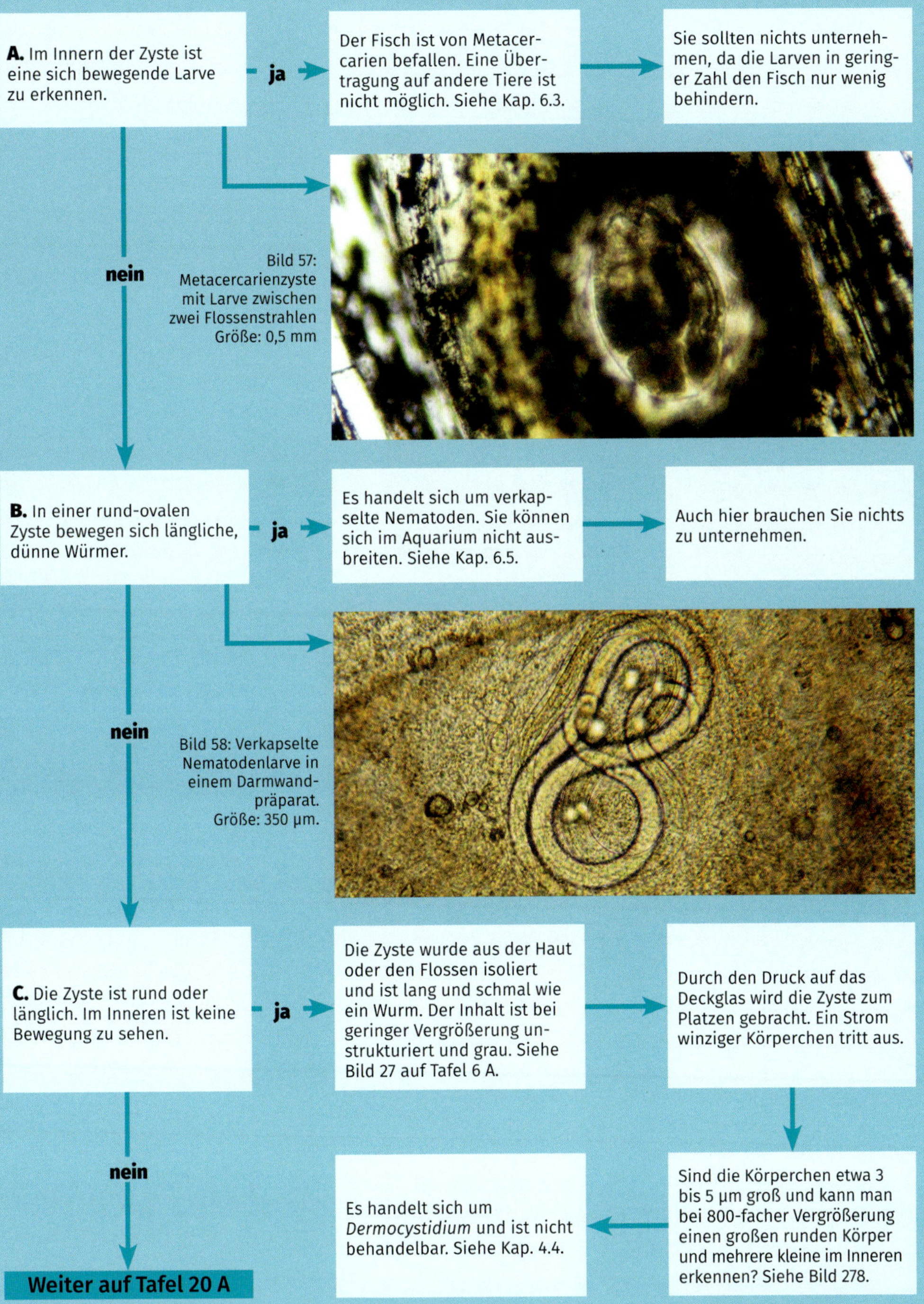

A. Im Innern der Zyste ist eine sich bewegende Larve zu erkennen.

ja → Der Fisch ist von Metacercarien befallen. Eine Übertragung auf andere Tiere ist nicht möglich. Siehe Kap. 6.3. → Sie sollten nichts unternehmen, da die Larven in geringer Zahl den Fisch nur wenig behindern.

Bild 57: Metacercarienzyste mit Larve zwischen zwei Flossenstrahlen Größe: 0,5 mm

nein ↓

B. In einer rund-ovalen Zyste bewegen sich längliche, dünne Würmer.

ja → Es handelt sich um verkapselte Nematoden. Sie können sich im Aquarium nicht ausbreiten. Siehe Kap. 6.5. → Auch hier brauchen Sie nichts zu unternehmen.

Bild 58: Verkapselte Nematodenlarve in einem Darmwandpräparat. Größe: 350 µm.

nein ↓

C. Die Zyste ist rund oder länglich. Im Inneren ist keine Bewegung zu sehen.

ja → Die Zyste wurde aus der Haut oder den Flossen isoliert und ist lang und schmal wie ein Wurm. Der Inhalt ist bei geringer Vergrößerung unstrukturiert und grau. Siehe Bild 27 auf Tafel 6 A. → Durch den Druck auf das Deckglas wird die Zyste zum Platzen gebracht. Ein Strom winziger Körperchen tritt aus. → Sind die Körperchen etwa 3 bis 5 µm groß und kann man bei 800-facher Vergrößerung einen großen runden Körper und mehrere kleine im Inneren erkennen? Siehe Bild 278. → Es handelt sich um *Dermocystidium* und ist nicht behandelbar. Siehe Kap. 4.4.

nein ↓

Weiter auf Tafel 20 A

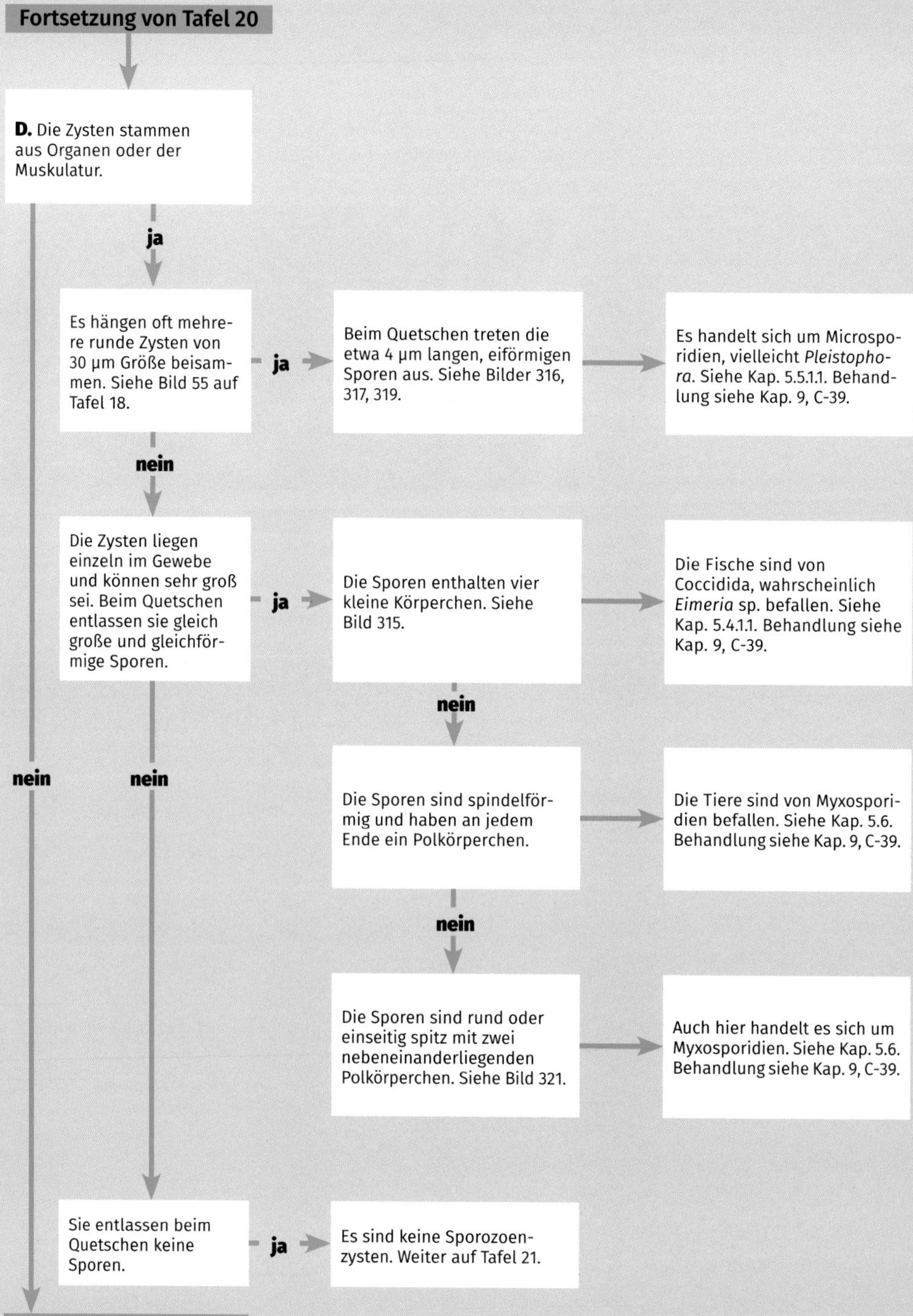
Fortsetzung von Tafel 20
D. Die Zysten stammen aus Organen oder der Muskulatur.
ja
Es hängen oft mehrere runde Zysten von 30 µm Größe beisammen. Siehe Bild 55 auf Tafel 18.
ja
Beim Quetschen treten die etwa 4 µm langen, eiförmigen Sporen aus. Siehe Bilder 316, 317, 319.
Es handelt sich um Microsporidien, vielleicht *Pleistophora*. Siehe Kap. 5.5.1.1. Behandlung siehe Kap. 9, C-39.
nein
Die Zysten liegen einzeln im Gewebe und können sehr groß sei. Beim Quetschen entlassen sie gleich große und gleichförmige Sporen.
ja
Die Sporen enthalten vier kleine Körperchen. Siehe Bild 315.
Die Fische sind von Coccidida, wahrscheinlich *Eimeria* sp. befallen. Siehe Kap. 5.4.1.1. Behandlung siehe Kap. 9, C-39.
nein
Die Sporen sind spindelförmig und haben an jedem Ende ein Polkörperchen.
Die Tiere sind von Myxosporidien befallen. Siehe Kap. 5.6. Behandlung siehe Kap. 9, C-39.
nein
Die Sporen sind rund oder einseitig spitz mit zwei nebeneinanderliegenden Polkörperchen. Siehe Bild 321.
Auch hier handelt es sich um Myxosporidien. Siehe Kap. 5.6. Behandlung siehe Kap. 9, C-39.
nein
nein
Sie entlassen beim Quetschen keine Sporen.
ja
Es sind keine Sporozoenzysten. Weiter auf Tafel 21.
Weiter auf Tafel 20 B

Fortsetzung von Tafel 20 A

E. Die Zysten stammen aus einem Geschwür oder einer Gewebeverdickung.

ja → Die Zysten sind von hellem Gewebe eingekapselt. Im Inneren ist keine Struktur zu erkennen. Sie sind hell bis dunkelbraun gefärbt. Siehe Bild 227 und 228.

ja → Wahrscheinlich handelt es sich um Tuberkulose. Siehe Kap. 3.2.6. Weiter auf Tafel 21.

nein → Das Gewebe ist fest und beim Quetschen treten nur einzelne Zellen aus. Es ist extrem von schwarzen Pigmentzellen durchsetzt.

ja → Es handelt sich wahrscheinlich um eine bösartiges Krebsgeschwulst, ein Melanosarkom. Oft bei lebendgebärenden Zahnkarpfen, selten bei anderen Fischen. Siehe auch Bild 438.

→ Beobachten Sie die anderen Fische genau. Siehe Kap. 8.2. Siehe Tafeln 4 und 4 A, D.

nein → Das Gewebe im Inneren ist zersetzt und schmierig. Das Geschwür kann geschlossen oder offen sein.

ja → Das Geschwür ist eitrig. Fertigen Sie ein Präparat an und prüfen Sie es auf Bakterien. Weiter auf Tafel 21.

nein → **F.**

nein (von E.) → **F.** Unter der Haut hat sich im Laufe von mehreren Wochen eine Wölbung gebildet.

ja → Nach dem Aufschneiden der Haut kann ein festes, annähernd kugelförmiges Gebilde entnommen werden. Es ist nicht mit der Muskulatur verwachsen.

ja → Solche gutartigen Geschwulste können sich auch an Organen bilden. Sie sind für die anderen Fische nicht gefährlich. Siehe Kap. 8.2.

nein → Die Wölbung wird immer größer und bricht schließlich nach außen auf.

ja → Es handelt sich um eine Sporozoenerkrankung. Fertigen Sie ein Präparat des Inhalts an und bestimmen Sie die Sporen nach Tafel 20 A, D.

nein (von F.) → **Weiter auf Tafel 20 C**

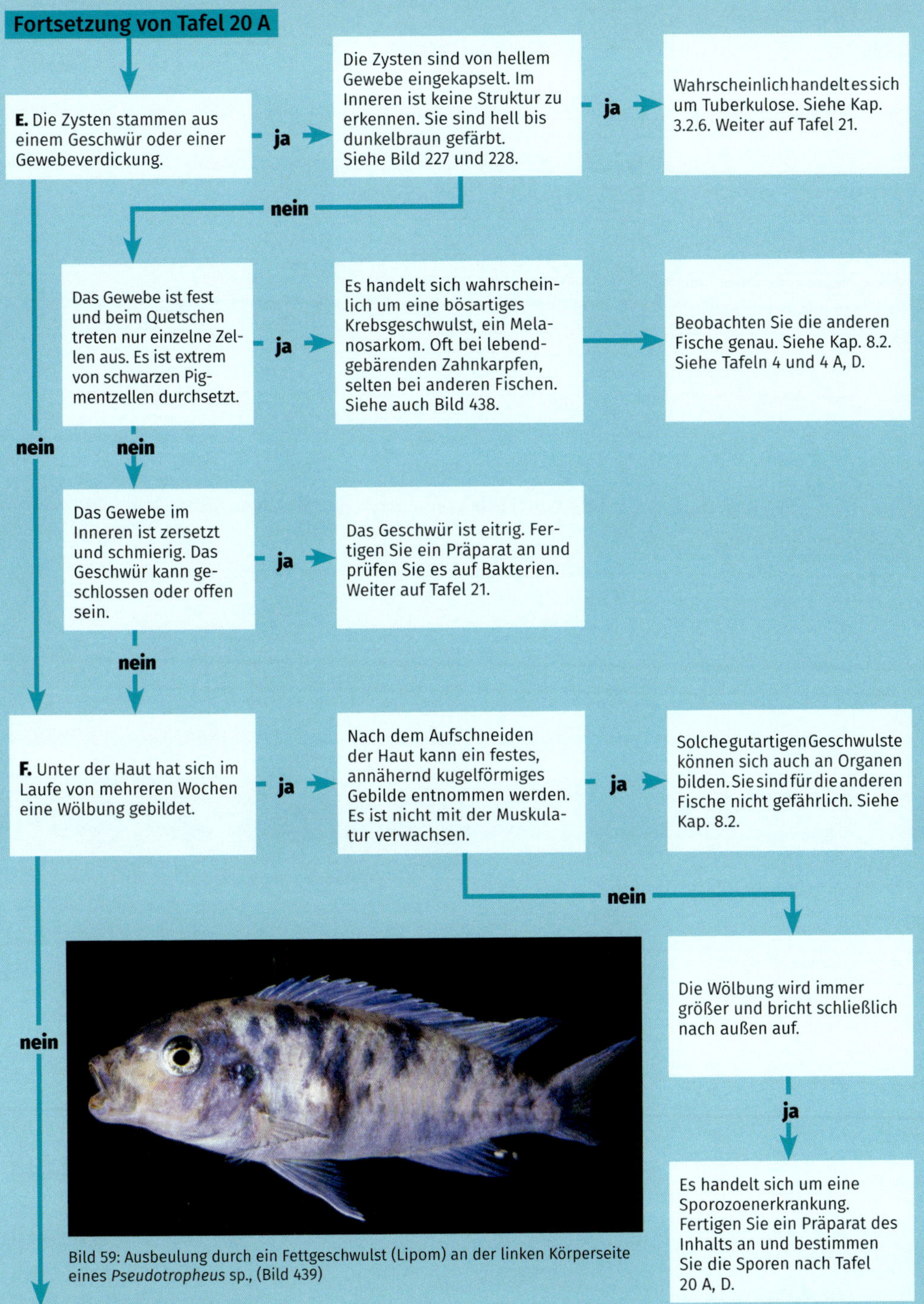

Bild 59: Ausbeulung durch ein Fettgeschwulst (Lipom) an der linken Körperseite eines *Pseudotropheus* sp., (Bild 439)

Fortsetzung von Tafel 20 B

G. In der Darmwand befinden sich einzelne bis sehr viele unregelmäßige längliche Zysten. In ihnen ist ein deutlich sichtbarer Fremdkörper eingeschlossen.

ja → Spitze Futterteile sind in die Darmwand eingedrungen und wurden vom Gewebe abgekapselt. Meist handelt es sich um Borsten von Cyclops, Krill, seltener von schwarzen Mückenlarven. Siehe Bild 50 auf Tafel 14 B. → Geben Sie ihren Fischen das Futter nicht mehr.

nein ↓

H. In den Organen befinden sich Zysten von 50 bis 500 µm. Größe mit dunklem, unbeweglichem Inhalt. Die Zysten sind von hellem Gewebe umgeben. Siehe Bilder 228, 265.

ja → Es kann sich um Tuberkulose oder *Ichthyophonus* handeln. → Stellen Sie Doppelquetschpräparate her und untersuchen Sie sie auf Bakterien. Weiter auf Tafel 21.

nein ↓

I. Die Zysten sind unregelmäßig und verzweigt oder sehr klein.

ja → Es ist möglich,dass winzige Fremdkörper abgekapselt wurden, oder es sind *Nocardia*-Zysten. Bild 60. → Stellen Sie Doppelquetschpräparate her und untersuchen Sie sie auf Bakterien. Weiter auf Tafel 21.

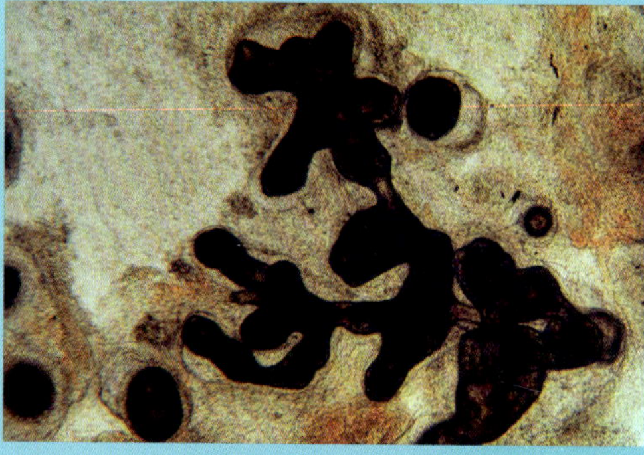

Bild 60: Verzweigtes Granulom in der Leber durch *Nocardia*-Infektion (Vergr. 50:1)

nein ↓

K. An den Kiemenblättchen befinden sich kleine, runde Zysten von max. 0,8 mm.

ja → Beim Quetschen treten keine Sporen aus, sondern kleine, kokkenartige Erreger von 0,3 bis 1 µm Größe. → Die Ursache sind Chlamidien. Die winzigen, kugelförmigen Bakterien sind nur mit sehr guter Optik und in erstklassigen Präparaten zu sehen. Weiter auf Tafel 21.

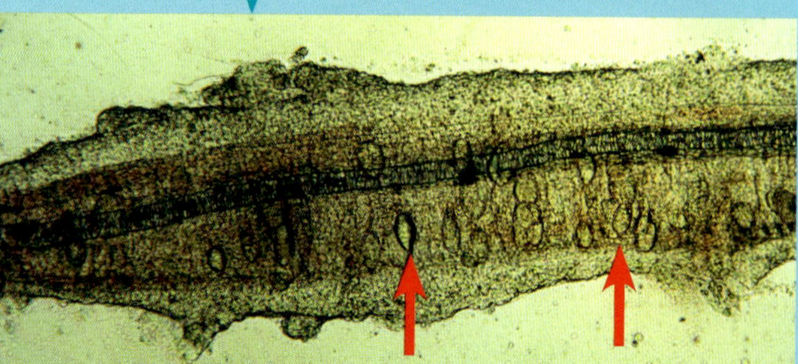

Bild 61: Kiemenblatt mit Chlamidienzysten. (Vergr. 38:1)

nein ↓

Weiter auf Tafel 21

Sie haben in einem Ausstrich oder Quetschpräparat Bakterien festgestellt. Fertigen Sie zuerst ein extrem dünnes Präparat mit Wasser an und beobachten Sie die Bakterien bei 400- bis 800-facher Vergrößerung. Dunkelfeld- oder Phasenkontrastbeleuchtung sind sehr hilfreich.
Im Gegensatz zu anderen Lebewesen lassen sich Bakterien nicht nach Größe und Aussehen bestimmen. Es sind aufwändige Methoden notwendig, um eine Bestimmung durchzuführen. Es müssen Kulturen angelegt und das Wuchsverhalten auf verschieden zusammengesetzten Nährböden beobachtet werden. So können die gezüchteten Bakterien aufgrund ihrer Stoffwechselleistungen systematisch eingeordnet werden. Bakterien zu züchten ist nicht ungefährlich und sollte aus diesem Grund ausgebildeten Fachleuten und dafür eingerichteten Instituten vorbehalten sein. So gesehen ist diese Tafel keine richtige Diagnosetafel, sondern eine Entscheidungshilfe für die Wahl eines Medikamentes.

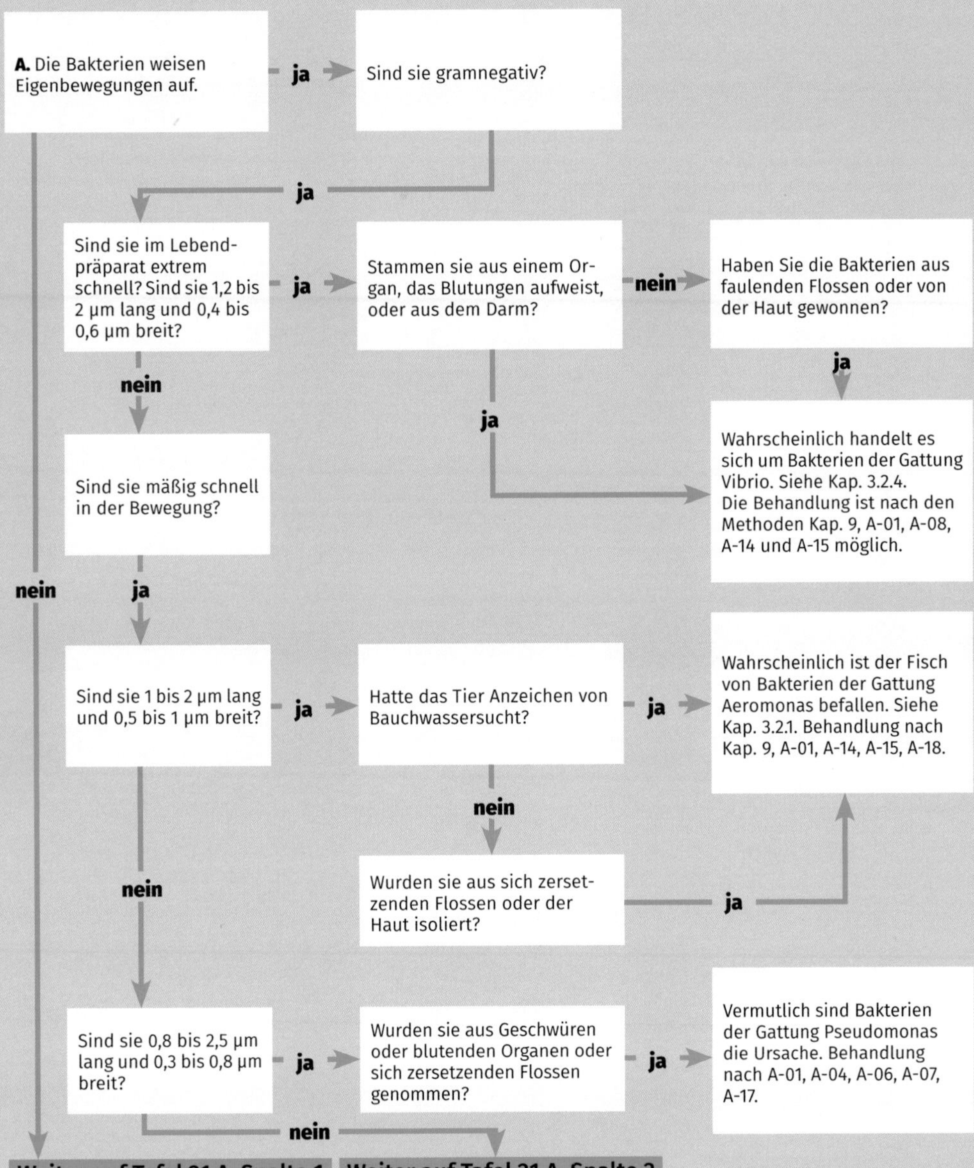

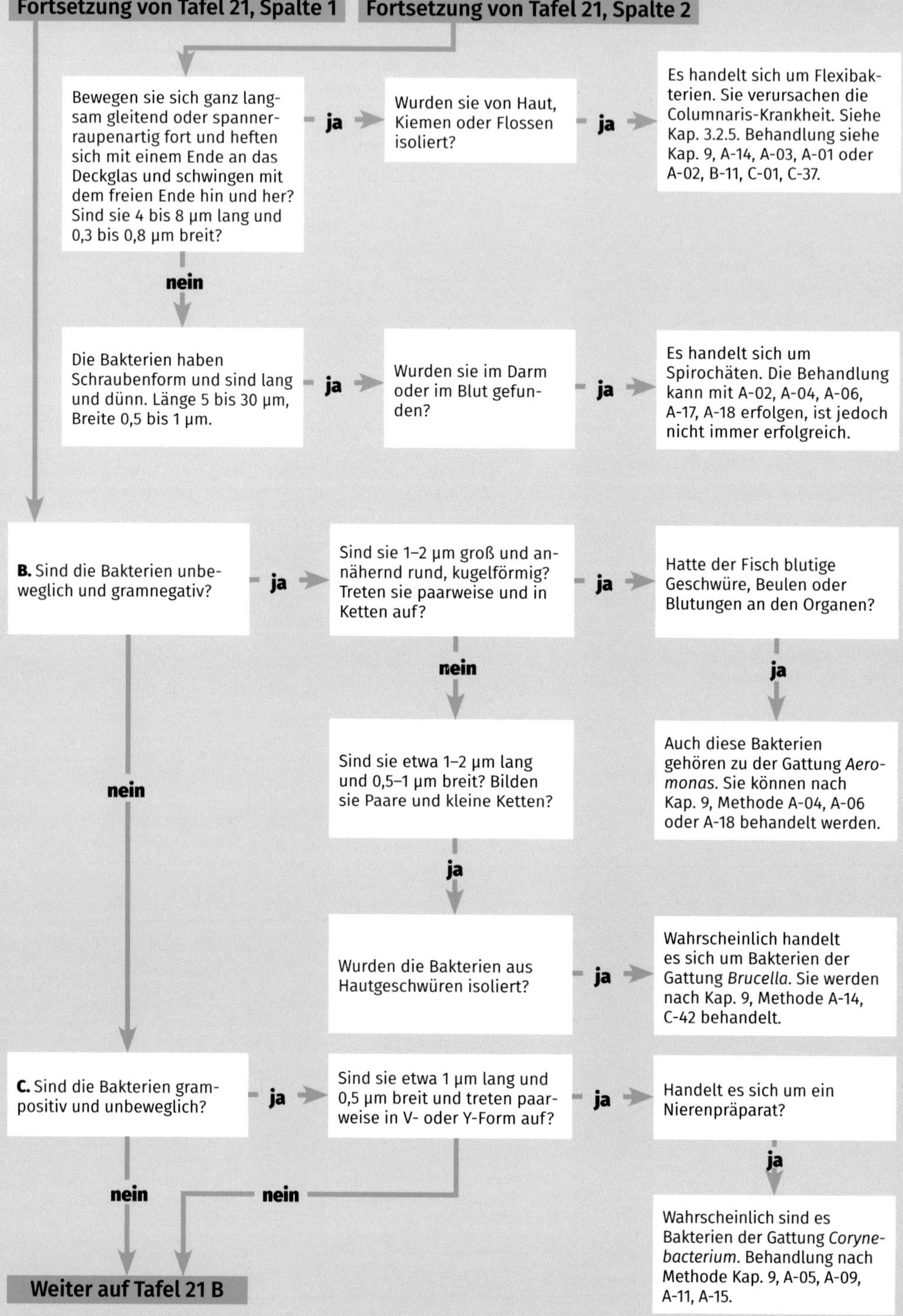
Fortsetzung von Tafel 21, Spalte 1
Fortsetzung von Tafel 21, Spalte 2
Bewegen sie sich ganz langsam gleitend oder spannerraupenartig fort und heften sich mit einem Ende an das Deckglas und schwingen mit dem freien Ende hin und her? Sind sie 4 bis 8 µm lang und 0,3 bis 0,8 µm breit?
ja
Wurden sie von Haut, Kiemen oder Flossen isoliert?
ja
Es handelt sich um Flexibakterien. Sie verursachen die Columnaris-Krankheit. Siehe Kap. 3.2.5. Behandlung siehe Kap. 9, A-14, A-03, A-01 oder A-02, B-11, C-01, C-37.
nein
Die Bakterien haben Schraubenform und sind lang und dünn. Länge 5 bis 30 µm, Breite 0,5 bis 1 µm.
ja
Wurden sie im Darm oder im Blut gefunden?
ja
Es handelt sich um Spirochäten. Die Behandlung kann mit A-02, A-04, A-06, A-17, A-18 erfolgen, ist jedoch nicht immer erfolgreich.
B. Sind die Bakterien unbeweglich und gramnegativ?
ja
Sind sie 1–2 µm groß und annähernd rund, kugelförmig? Treten sie paarweise und in Ketten auf?
ja
Hatte der Fisch blutige Geschwüre, Beulen oder Blutungen an den Organen?
nein
ja
Sind sie etwa 1–2 µm lang und 0,5–1 µm breit? Bilden sie Paare und kleine Ketten?
Auch diese Bakterien gehören zu der Gattung Aeromonas. Sie können nach Kap. 9, Methode A-04, A-06 oder A-18 behandelt werden.
nein
ja
Wurden die Bakterien aus Hautgeschwüren isoliert?
ja
Wahrscheinlich handelt es sich um Bakterien der Gattung Brucella. Sie werden nach Kap. 9, Methode A-14, C-42 behandelt.
C. Sind die Bakterien grampositiv und unbeweglich?
ja
Sind sie etwa 1 µm lang und 0,5 µm breit und treten paarweise in V- oder Y-Form auf?
ja
Handelt es sich um ein Nierenpräparat?
ja
Wahrscheinlich sind es Bakterien der Gattung Corynebacterium. Behandlung nach Methode Kap. 9, A-05, A-09, A-11, A-15.
nein
nein
Weiter auf Tafel 21 B

Fortsetzung von Tafel 22

C. An Kopf und Flossen befinden sich unterschiedlich große trüb durchsichtige, weißliche bis rosa Verdickungen der Haut. – **ja** →

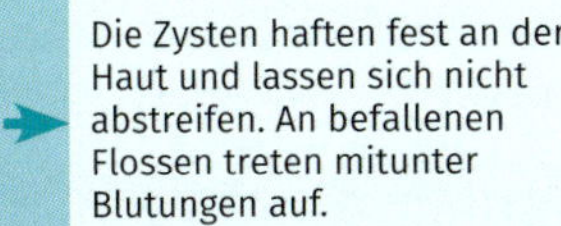
Die Zysten haften fest an der Haut und lassen sich nicht abstreifen. An befallenen Flossen treten mitunter Blutungen auf. →

Die Koi sind von Karpfenpocken befallen
Siehe Kapitel 3.1.3.

Bild 64: Karpfenpocken auf der Haut eines Koi

Foto: P. Maletschek

Bild 65: Karpfenpocken an Maul und Flossen

Foto: P. Maletschek

Bild 66: Karpfenpocken an der Schwanzflosse

Anhand übersichtlicher Diagnosetafeln und detaillierter Beschreibungen der Krankheitsbilder macht Dieter Untergasser die Diagnose für den verantwortungsbewussten Aquarianer, Züchter und Veterinär leicht und sicher. Denn auch für Aquarien- und Teichfische gilt: Keine erfolgreiche Behandlung ohne eine exakte Diagnose!

Der renommierte Experte für Fischgesundheit ermöglicht mit diesem stark erweiterten und aktualisierten Standardwerk die Heilung durch neue und bewährte Behandlungsmethoden mittels wirksamer Präparate. Darüber hinaus vermittelt er jedem Fischhalter wichtige Kenntnisse für eine erfolgreiche Gesundheitsprophylaxe mittels korrekter Haltungsbedingungen und gesunder Ernährung.

Dieses Werk von **Dieter Untergasser** (Jahrgang 1950) in einer grundlegend überarbeiteten und stark erweiterten Neuauflage des Buches *Krankheiten der Aquarienfische* (Franckh Kosmos Verlag).

Das bekannte Standardwerk hat der Autor um mehr als 250 Seiten erweitert sowie ca. 400 zusätzliche Bilder und rund 135 Videos hinzugefügt.

ISBN 978-3-911226-07-3
9 783911 226073

Fortsetzung von Tafel 21 A

D. Bilden die Bakterien lange, verzweigte Fäden, die mitunter in verschieden lange Teilstücke zerfallen?

– ja → Sind sie nur bei stark verkürzter Differenzierung mit HCl-Alkohol säurefest?

– ja → Wurden Bakterien aus eitrigen Geschwüren der Haut oder der Organe isoliert?

– ja → Es handelt sich um Bakterien der Familie Actinomycetaceae, wahrscheinlich um die Gattung *Nocardia*. Behandlung nach Methode Kap. 9, A-04, A-06, A-12, A-17, A-18.

– nein ↓

E. Sind die Bakterien säurefest und färben sich nach ZIEHL-NEELSEN intensiv rot?

– ja → Sind sie 1 bis 6 µm lang und 0,2 bis 0,6 µm breit?

– ja → Wurden die Bakterien aus zystenhaltigem Material isoliert?

– ja → Es handelt sich mit ziemlicher Sicherheit um Bakterien der Gattung Mycobakterium. Ihre Fische haben Fischtuberkulose! Eine Behandlung kann mit A-6 versucht werden. Lesen Sie bitte Kap. 3.2.6. Siehe Bilder 224, 584 und 585.

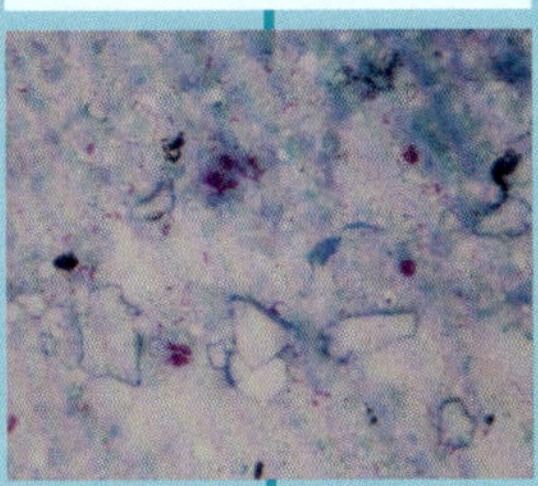

Bild 62: Mycobakterien rot gefärbt nach ZIEHL-NEELSEN Vergr. (400:1)

– nein ↓

F. Sie haben Quetschpräparate von TB-verdächtigen Zysten hergestellt, gefärbt und keine Bakterien gefunden.

– ja → Möglicherweise leiden Ihre Fische unter dem Pilz Ichthyophonus oder es handelt sich um alte Granulome. Es ist keine Behandlung möglich. Siehe Kap. 4.2.1.

In der Bevölkerung ist die Meinung weit verbreitet, dass Antibiotika und Chemotherapeutika die Krankheitserreger im Organismus abtöten. Diese Meinung ist falsch. Nur sehr wenige Medikamente wirken in den verwendbaren Mengen bakterizid, das heißt bakterientötend. Die meisten wirken bakteriostatisch, wachstumshemmend. Auf die Praxis bezogen bedeutet dies, dass die Bakterien im Organismus in ihrer Vermehrung gehemmt werden, sodass die Abwehrkräfte des Körpers sich erholen können und dann die Bakterien vernichten.

Ein Fisch, dessen Abwehrkraft total geschwächt ist, wird auch mit Antibiotika nicht mehr gesund werden, sondern bis zum Tod dahinsiechen.

Viren sind keine Lebewesen mit eigenem Stoffwechsel. Sie bestehen aus einer Hülle, in der eine genetische Information als DNA oder RNA enthalten ist. Mittels spezieller Rezeptoren können Viren bei Kontakt an lebenden Zellen andocken. Dann entfalten sie ihre einzig mögliche Aktivität und schleusen ihre Erbinformation in die Zellen ein. Dort programmieren sie die Zellen um und zwingen sie, neue Viren herzustellen. Viren sind viel kleiner als Bakterien und sind mit dem Lichtmikroskop nicht zu sehen. Virusinfektionen können an ihrem Erscheinungsbild erkannt und mit molekularbiologischen Methoden (PCR, ELISA) nachgewiesen werden.

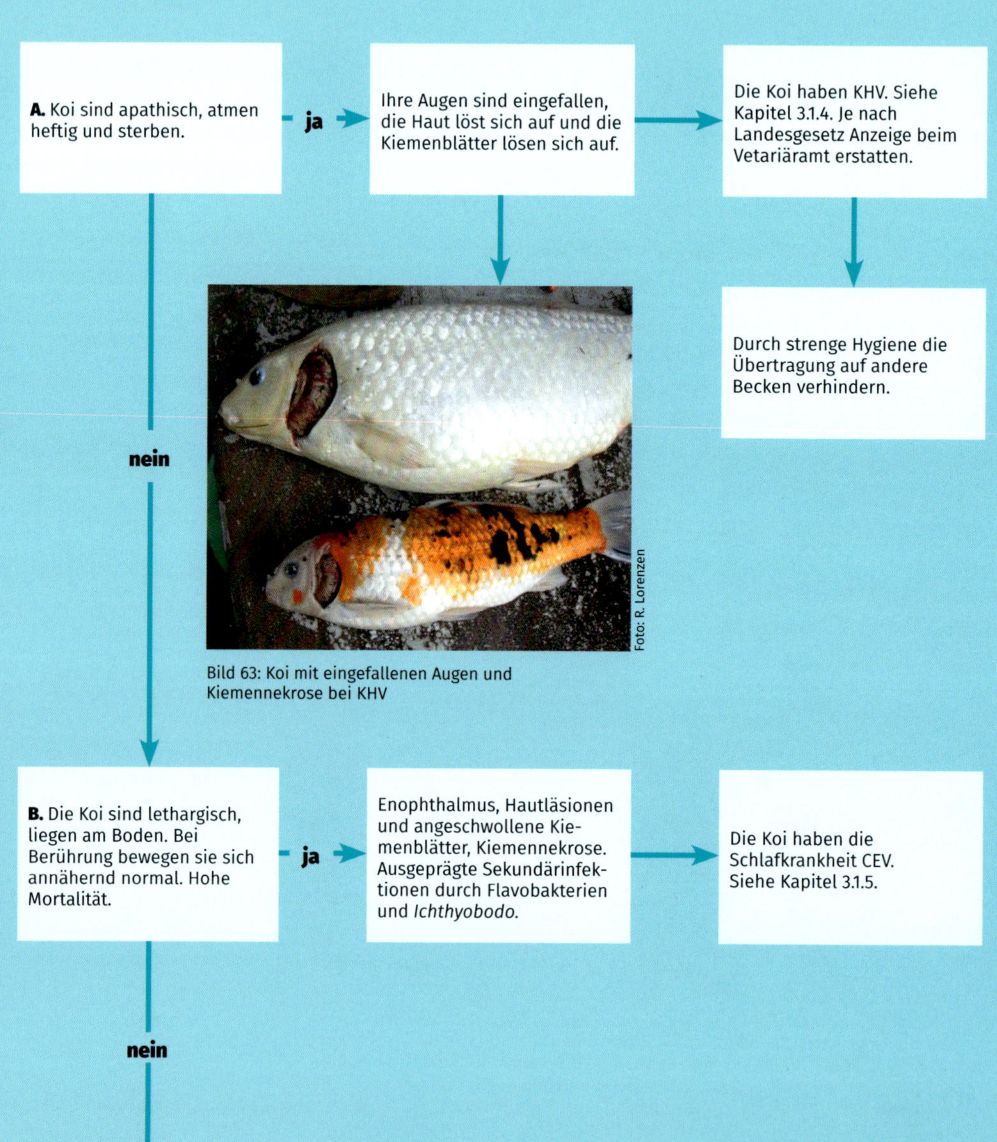

Bild 63: Koi mit eingefallenen Augen und Kiemennekrose bei KHV